P9-AOL-691

LUDZIE
NA WALIZKACH
NOWE HISTORIE

[Szymon Hołownia]

Ludzie na walizkach

Nowe historie

WYDAWNICTWO ZNAK | KRAKÓW 2011

Projekt okładki i opracowane graficzne
Vavoq (Wojciech Wawoczny)

Fotografia na 1. stronie okładki
© geishaboy500/ Flickr/ Getty Images / Flash Press Media

Fotografia autora na 4. stronie okładki
Marek Zawadka / Newsweek

Opieka redakcyjna
Elżbieta Kot

Adiustacja
Julita Cisowska

Korekta
Katarzyna Onderka

Łamanie
Piotr Poniedziałek

ISBN 978-83-240-1512-2

znak

Książki z dobrej strony: www.znak.com.pl
Społeczny Instytut Wydawniczy Znak, 30-105 Kraków, ul. Kościuszki 37
Dział sprzedaży: tel. (12) 61 99 569, e-mail: czytelnicy@znak.com.pl

WSTĘP

Ludzie na walizkach dodają otuchy. Pokazują, że człowiek nigdy nie jest ze swym bólem sam, że cierpienie nie musi przybijać do ziemi, że człowiek to jedyna istota na tym świecie, która nieszczęście umie przerobić na czystej próby dobro. Spotkania z nimi uczyły też słuchać mnie, nawykłego do napadowego gadania. Bywało, że najchętniej siedziałbym w milczeniu do końca. Byle tylko niczego nie popsuć. Pozwolić, by czyste słowa moich rozmówców same brzmiały. Żeby nie zostawić śladów na krysztale. Mam nadzieję, że jest ich jak najmniej.

Z „ludźmi na walizkach" spotykałem się przez kilka lat. Pierwszy zbiór rozmów ukazał się w 2008 roku. W 2009 cykl znalazł kontynuację na antenie telewizji religia.tv. W 2011 trafił też na łamy „Newsweeka".

Ponad siedemdziesiąt nowych spotkań z ludźmi, którym los kazał przygotować się do drogi, nie mówiąc, dokąd prowadzi, co spotka ich jutro. Część ze spisanych i przejrzanych przez bohaterów rozmów znajdą Państwo w tej książce. (A może będą też następne). Dziękuję wszystkim, z którymi miałem okazję rozmawiać. Za światło, jakie nam dali, za zaufanie, otwartość. Dwojgu z nich, Dominice Roqueplo i Maciejowi Kozłowskiemu, podziękuję już po tamtej stronie.

Dziękuję lekarzom, księżom, którzy przyjęli zaproszenie do *Ludzi...*, by powiedzieć, jak ludzki ból, cierpienie, umieranie wygląda z ich strony.

Dziękuję też kolegom z religia.tv, bez których nie byłoby tego programu, a więc i tej książki. Kazkowi Sowie i Ani Marczewskiej, którzy kibicowali temu projektowi, umożliwiając jego realizację, ale nade wszystko ekipie *Ludzi na walizkach* – zwłaszcza producentce Joli Gwardys, *de facto* współautorce programu, oraz Annie Wasiewicz i Mateuszowi Gasińskiemu, którzy jako pierwsi spotykali się z naszymi gośćmi, próbowali przekonać ich, by podzielili się z nami mądrością. Dbali o to, by nasi bohaterowie nie ponieśli przy tym szkody.

Wszystkich, którym kiedykolwiek zdarzyło się myśleć, że świat nie ma sensu, a ludzie są źli, proszę, by przeczytali tę książkę do końca. Przekonają się, jak bardzo się mylili.

WCZORAJ SIĘ DO NIEGO DODZWONIŁAM

[Agnieszka Kowalska]

Nazywam się Maciek Kozłowski i jestem aktorem Teatru Narodowego w Warszawie. Jestem zdrowy jak koń. Mam tylko, niestety, zakażoną wątrobę. Nie ma takiej możliwości, żeby człowiek zdrowy zrozumiał rozterki czy przeżycia człowieka chorego. Często myślę o śmierci. Jeden z lekarzy powiedział mi, że jeżeli pacjent chce żyć, medycyna jest bezradna. Natomiast jeżeli pacjent chce umrzeć, to medycyna jest również bezradna.

Nazywam się Agnieszka Kowalska. Śmiem twierdzić, że Maciek jest ze mną nawet bardziej, niż był przez ostatnie pół roku przed śmiercią.

Pani mąż, Maciek Kozłowski, był moim gościem ponad rok temu. Pół roku temu odszedł. Co u pani słychać?

Dobrze. Wydaje mi się, że dobrze. Nie mogę panu powiedzieć, że najgorsze mam już za sobą, bo ja w ogóle w tych kategoriach tego wszystkiego nie odbieram. Jest zmiana, bo Maciek nie jest obecny ciałem. Natomiast w sprawach uczuciowych, naszych domowych, nic się nie zmieniło. I podejrzewam, że się nie zmieni. Tak to wygląda. Proszę tak na mnie nie patrzeć. [*śmiech*] Tak, śmiem twierdzić, że Maciek jest ze mną nawet bardziej, niż był przez ostatnie pół roku przed śmiercią, kiedy byliśmy skoncentrowani – i on, i ja – na postępującej chorobie i właściwie to odsunęło na dalszy plan wszystko inne. W tej chwili życie takie, jak wyobrażaliśmy sobie, że będziemy mieli, wróciło do normy. Jest dom na wsi, są zwierzęta, jest remont, który zaplanował.

Ale jego jednak fizycznie z panią nie ma.

Nie ma, ale to nie było tak, że byliśmy ciągle razem. Maciek pracował w Warszawie, więc widzieliśmy się przez trzy dni, następnie nie widzieliśmy się przez cztery, później on znowu wyjeżdżał na tydzień, później znów tydzień był. Miałam czas, by się przyzwyczaić, że jak go nie ma, to jest. Czyli właściwie dalej jest tak, jakby wyjechał. Myślę, że to się nie zmieni.

Da się utrzymać to poczucie, mimo że on tym razem nie wróci?

Nie robię niczego, żeby to utrzymać. To się samo utrzymuje. Nic sobie nie postanowiłam. Niczego sobie nie obiecuję, nie przysięgam. Po prostu – tak jest.

Kiedy przychodzi ten moment, że puszcza się rękę zmarłego, pozwala mu się dalej iść?

U mnie na pewno jeszcze nie nastąpił. Wydaje mi się, że w ogóle nie o to chodzi. Myśmy z Maćkiem mieli silny duchowy kontakt, ale równocześnie byliśmy parą ludzi absolutnie wolnych, nie byliśmy od siebie zależni w żaden sposób. To, że jego nie ma, niczego nie zmienia, ponieważ ani ja nie byłam zależna od jego fizycznej obecności, ani on od mojej. Jako wolny człowiek kontynuuję teraz swoje życie, on kontynuuje swoje. Pogodziłam się z tym, że tak miało być, po prostu taki był plan wobec nas. W pewnym momencie ciało odmówiło mu posłuszeństwa, ale przecież człowiek to nie jest ciało. Kiedyś przeczytałam piękny cytat, który on sam gdzieś zapisał, Maciek uwielbiał cytaty: „Pamiętaj, że muzyka nie jest z pianina". Ciało jest tylko instrumentem człowieka, nie jest człowiekiem. Właściwie – koniec końców – najmniej ważnym instrumentem, bo nie po to jest się z kimś, żeby nam coś załatwił, żeby nam pomógł, coś zrobił. Nie taka jest idea miłości. Miłość jest po to, żebyśmy byli szczęśliwi. Ta miłość powinna uszczęśliwić przede wszystkim tego, który kocha. Miłość do Maćka mnie uszczęśliwia i nikt, ze śmiercią włącznie, mi tego nie odbierze.

Co z potrzebą bliskości, czułości?

Bliskość i czułość, te wszystkie cielesne kategorie, są ważne w relacji do dzieci, które trzeba przytulać, trzymać za rękę. My z Maćkiem przez ten ostatni czas po prostu walczyliśmy o życie. Mieliśmy zaprawę bojową przez ostatnie pół roku, bo Maciek był ciągle w złym stanie i bardzo cierpiał, o czym oczywiście nie mówił. To był koszmar. Najważniejszy był dla nas kontakt duchowy, to, żeby się wspierać – okropne słowo, szczerze go nie cierpię. On wiedział, że oboje wiemy, że nie jest dobrze, i to już mu na pewno dawało jakiś komfort. Nie musiał ani mówić, jak bardzo cierpi, ani udawać, że nie cierpi. Bycie z chorym człowiekiem pokazuje, że ciało nigdy nie jest fundamentalną sprawą w miłości, czasem bywa wręcz przeszkodą.

Kiedy dowiedziała się pani, że Maciek jest chory?

Tak naprawdę w ogóle nie znałam go zdrowego. Najpierw przez jakieś dwa lata przyjaźniliśmy się, ale to była przyjaźń jak wiele przyjaźni, spotykaliśmy się gdzieś tam w towarzyskich okolicznościach. Potem pojechaliśmy na tydzień w góry. I było fantastycznie. Wciąż na stopie przyjacielskiej, ale wtedy jeszcze Maciek myślał, że jest zdrowy. Kiedy zaplanowaliśmy drugi pobyt w górach i już wyglądało na to, że coś nas do siebie bardzo ciągnie, dzień przed wyjazdem zadzwonił do mnie i powiedział: „Mam wirusa HCV, na razie nie mogę nigdzie jechać, muszę zrobić badania". No i się zaczęło. Najpierw wszystkie badania krwi, biopsja, później rok chemii. Wyrok: wirus nie został wygaszony. Maciek był zbyt słaby, by dokończyć tę chemię, nie mógł jej też powtórzyć, nastąpiła przerwa. Wtedy okazało się, że ma problem z woreczkiem żółciowym, który trzeba było usunąć. Coś, co miało być małym zabiegiem, okazało się bardzo poważną operacją, którą ledwie przeżył. Były krwotoki śródoperacyjne, przez dwanaście godzin był nieprzytomny. Po tej operacji – powikłania, które trwały rok. Przez pierwsze pół roku zdawało się, że jest poprawa, a przez drugie pół roku było tylko gorzej. Wątroba postanowiła zupełnie odmówić posłuszeństwa. Mówiło się o przeszczepie, więc czekaliśmy na przeszczep. Filmowa *love story*, nie sądzi pan? [*śmiech*]

W której los wyznaczył pani rolę nie tylko żony, ale i pielęgniarki.

Co to, to nie, nigdy nie byłam jego pielęgniarką. Co najwyżej może duchową pielęgniarką, tak jak on był moim duchowym pielęgniarzem, bo w tej dziedzinie oboje nadawaliśmy się do naprawy. Maciek bardzo się trzymał i wystarczyło, że ja po prostu znałam dokładnie jego ograniczenia. Wiedziałam, że to nie będzie miłość z bajki pod tytułem „gdzieś sobie wyjeżdżamy i coś planujemy". Nigdy nie zatańczyliśmy ze sobą.

To musiało, poza całym swoim pięknem, rodzić też myśl: to mnie ogranicza.

A skąd! Wręcz przeciwnie! To było niezwykle wręcz wyzwalające!

Od czego?

Od dotychczasowego życia, które oboje mieliśmy dość nieudane. Każdy człowiek na tej ziemi szuka miłości. Generalnie wszystko się do tego sprowadza, żeby te sprawy mieć z głowy: kochać kogoś i być kochanym, i wtedy można się zabrać do życia. Dopóki nas to męczy, że jesteśmy sami, niespełnieni, nie mamy tej drugiej połówki, wszystko jest temu niespełnieniu tak czy siak podporządkowane.

Brak miłości jak próchnica? Miłość jak wyleczony ząb – nie boli i dopiero można żyć?

Dokładnie tak. Dopiero wtedy można żyć. Dopóki nie ma tego spełnienia duchowego, całe życie jest w zasadzie na niby i mamy tego jeżeli nie świadomość, to przynajmniej bolesną podświadomość. Gdy Maciek i ja poczuliśmy, że się po prostu kochamy, to wszystko inne naprawdę przestało być takie ważne. I to było bardzo wyzwalające.

Ale jest w tym jakaś dziwna nuta – używamy drugiego człowieka jako plomby na ten ząb i dopiero możemy jechać dalej.

Nie jako plomby, na pewno nie. U nas to było zupełnie inaczej – pojawienie się drugiego człowieka w życiu chyba każdego z nas sprawiło, że mogliśmy już się nie spinać, nie udowadniać, nie grać, wejść w tę relację, bardziej będąc sobą.

Kiedy rozmawiałem z panem Maćkiem, miałem poczucie, że – powiem kolokwialnie – „kozaczy". Niby bagatelizuje: „Jasne, jestem zakażony, jasne, myślę o śmierci, ale co mi tam". Zaczynam rozumieć, skąd to się mogło brać.

No właśnie stąd, z tego poczucia wyzwolenia. Bo ja jestem teraz takim samym kozakiem. Też sobie mówię: „No to umrę". Już nawet śmierci się nie boję, bo niczego się już nie boję. Znalazłam miłość. Nie zamierzam już, nie muszę jej szukać. Mam ją w sobie. Ten kawałek życia, który mi teraz został, przyjmuję jako dar od losu. Czas wolny, który mogę sobie poświęcić na malowanie, na zajęcie się psami, na to, żeby pomóc dzieciom się usamodzielnić czy kontynuować swoje pasje. Już w zasadzie nie muszę żyć dla siebie. Właśnie – nie muszę już żyć dla siebie! Bo to, co chciałam, już mam. Ząb, o którym pan mówił, już nie boli. I on się nie zepsuł w chwili, w której Maciek zmarł.

Czeka pani na kolejne spotkanie z nim? Na swoją śmierć?

Na pewno będę mogła wtedy bardziej bezpośrednio z nim porozmawiać. Ale przecież i teraz czuję jego obecność, tak jak czułam – bez przerwy. Wiem, co by zrobił. Co najdziwniejsze – mam poczucie bezpieczeństwa, mimo że jestem sama. Jestem po prostu z nim. Pan patrzy na mnie zdziwiony... Jak by to najprościej powiedzieć... Kiedy Maciek był chory, między nas usiłowała się wcisnąć wielka przeszkoda: choroba. Nie mogliśmy tak naprawdę być razem, ponieważ ta choroba nas zjadała. Śmierć Maćka była również jej śmiercią. Odwróciła się potworna, zła passa. Pod koniec życia Maćka było już tak, że czegokolwiek próbowaliśmy – trafialiśmy na ścianę: miała być rola – nie było roli, miały przyjść pieniądze – spóźniały się, miało być zamówienie na mój obraz – nie było. Tak jakby już tam z góry mówili mu: „Chłopie, ty chodź już do nas. Ty już tu nic nie próbuj".

Gdy Maciek umarł, wszystko odblokowało się w sposób przedziwny zupełnie. Obiektywnie nie było miło: zostałam właściwie bez pieniędzy, w niewyremontowanym domu, z bardzo wątpliwymi zarobkami, bo jestem portrecistką, więc trudno powiedzieć, że to dające stabilne wpływy zajęcie. Bez ubezpieczenia. Na głębokiej wsi. Dwa konie, sześć psów. Sytuacja, że po prostu tylko w łeb sobie strzelić. Nie wiem, jak to się stało, że bez żadnego wysiłku z mojej strony, bez zabiegania o cokolwiek, bez walki nagle wszystko się odwróciło. To dla mnie kolejny dowód, że każde z nas jest dziś na swoim miejscu, wierzę, że on też jest tam szczęśliwy. Że po prostu to była nasza droga, że właśnie tak należało z nami postąpić.

Co więcej – wie pan, dziś uważam, że śmierć jest nieprawdopodobnym dopełnieniem miłości. Bo to już jest wszystko. Ten egzamin jest już zdany całkowicie, bo śmierć to najgorsza z rzeczy, jakich można się obawiać, prawda? Mówi się nawet: „dopóki śmierć nas nie rozłączy". A tu czasem okazuje się, że śmierć potrafi właśnie złączyć! Początkowo myślałam, że to jest tak, że skoro miłość zwycięża śmierć, śmierci nie będzie, on nie umrze, bo ja go kocham. Później dotarło do mnie jednak, że aby miłość zwyciężyła śmierć, śmierć musi naprawdę przyjść, zaistnieć w naszym życiu. By miłość zwyciężyła śmierć, trzeba umrzeć. Pies nie może zagryźć kota, gdy jest on tylko teoretycznym zagrożeniem. [*śmiech*]

To niesłychane.

Mówię panu – żeby to się wszystko dopełniło, żeby pokazała się prawda o miłości, ostatecznie musi być i miłość, i śmierć. To się bardzo wyraźnie czuje. Pamiętam noc, kiedy Maciek umierał. Doskonale wiedziałam, o której godzinie umarł. Właściwie umierałam razem z nim, chociaż byłam w naszym warszawskim mieszkaniu, on w szpitalu na intensywnej terapii, gdzie już nie pozwolono mi siedzieć. Dwa razy widziałam Maćka tak szczęśliwego i tak spokojnego na twarzy. Po raz pierwszy – dwa lata przed śmiercią, gdy miał tę operację i przez całą dobę był nieprzytomny. Byłam wtedy u niego, wdarłam się na intensywną terapię i zobaczyłam w jego łóżku anioła! Tak bardzo szczęśliwego! Wyszłam stamtąd z pytaniem: „Boże, co mi przypomina ta twarz?". Po tygodniu odkryłam: tak wyglądał mój syn chwilę po narodzeniu. To było takie szczęśliwe, absolutnie niewinne, nowo narodzone stworzenie, całkowicie ufne i zadowolone. I Maciek tak właśnie wtedy wyglądał. Po raz drugi zobaczyłam u niego tę twarz parę godzin przed śmiercią. Nie mógł mówić, tylko gestem zdecydowanie prosił mnie, żebym mu zdjęła maskę tlenową, więc zapytałam: „Siostro, czy to możliwe, że jemu się lepiej oddycha bez maski?". Czułam, że już jest po tamtej stronie i że to dla niego wielka ulga. Kim bym była, gdybym chciała go zatrzymać? Kiedy umierał tej nocy, miałam taki niezwykle silny duchowy przekaz, że to jest szczęśliwe rozwiązanie i że ja nie powinnam wysiadać na stacji „Śmierć". Pociąg na chwilę się zatrzymał, można wysiąść, można zostać. Ja pojechałam dalej.

O śmierci myślimy jako o wrednej zabójczyni miłości, a pani mówi, że śmierć to tylko zakręt na drodze...

Jasne, że one są do siebie w jakiejś gatunkowej opozycji. Miłość to życie, a śmierć to bezruch. Ale wieczność nie może być bezruchem – bo albo wieczność to życie, albo po prostu nie ma tam nic, i już. Stąd – wieczność, jeśli istnieje, musi być życiem, niczym innym. Śmierć jest więc przywilejem, przypadkiem, przez który muszą przejść wszyscy żywi. Maciek zawsze mówił, że „jesteśmy tylko epizodami w życiu rzeczy". Tyle że rzeczy trwają, a my się non stop odradzamy. Odradzamy się też, przechodząc przez śmierć.

Rozmawialiście o tym? W byciu z osobą chorą muszą być pewne niedomówienia, nie wszystko można powiedzieć, by nie krzywdzić tego drugiego.

O śmierci rozmawialiśmy wielokrotnie. Chociaż – przyznaję – nigdy w kontekście jego śmierci, bo to właśnie byłoby chyba niezręczne. Bałabym się, że on się przestraszy.

Ale on, siedząc w fotelu, w którym teraz siedzi pani, mówił, że myśli o śmierci.

Kiedy był tu u pana, na pewno już myślał o śmierci i podświadomie czuł, że to by było jakieś rozwiązanie. Bo tak dalej po prostu nie dało się żyć.

Z panią o tym nie rozmawiał?

Nie, pewnie też nie chciał, żebym się przestraszyła. Ale ja przecież widziałam, co się święci. Uczepiliśmy się wtedy myśli o przeszczepie. Mieliśmy nadzieję na przełom. Miałam w sobie wyraźną myśl, jakby przekaz z góry, że zmierzamy do chwili, w której wszystko się zmieni. Na lepsze. Myślałam: co to może być? I wymyśliłam, że pewnie chodzi o ten przeszczep. On też się tego trzymał. Ale podświadomość jest silniejsza, ona już go oswajała z myślą o śmierci. Może mu podpowiadała, że śmierć może być w istocie dla cierpiącego człowieka czymś pięknym? Cierpienie i to, co je poprzedza, są rzeczami niemiłymi. Ale w chwili śmierci to wszystko ustaje. Maciek podświadomie już się z tym godził. Powiedział mi jakieś dwa miesiące przed śmiercią: „Mnie się już nie chce walczyć".

I co pani wtedy powiedziała? „Nie, walcz! Musisz! Dla nas!"?

Powiedziałam mu, że to rozumiem. Że nie musi walczyć. Że będzie, co będzie. Maciek taki był, że stale chciał z czymś walczyć. Bo trzeba walczyć, to prawidłowa postawa. Najważniejsze, by ostatecznie móc powiedzieć to co on: „Tak, przegrałem. Ale walczyłem".

Jak rozwija się dziś wasza relacja? I czy nie boi się pani bycia w relacji z kimś, z kim kontakt jest tylko duchowy, więc nigdy się nie wie, czy czegoś nie dopowiada się za niego?

Tego się nie boję, bo w moim układzie z Maćkiem jest wszystko powiedziane. I niczego więcej nie oczekuję prócz tego, żeby móc żyć, robić te rzeczy, które sobie obiecałam, że będę robić, jak już przestanę szukać miłości, gdy ona już będzie. Jestem malarzem, więc będę malować, mam różne rzeczy do zrobienia, jestem takim pustelnikiem z wyboru. Nie boję się śmierci, więc tylko żyć i umierać. A później umierać i żyć dalej. [*śmiech*] Cieszę się na samotną starość. Bardzo się na to cieszę.

Co jest pięknego w samotnej starości?

Jak się ma naturę pisarza, artysty i samotnika, to wszystko jest w niej cudowne. Ja po prostu uwielbiam być sama.

Trafiła pani na partnera, który to szanował i szanuje. W końcu jednak kiedyś pani do niego dołączy. Co wtedy?

Nie wiem. To jest piękne, że nie wiem. Ale na pewno nie będzie stagnacji. Nie wiem, może to też będzie życie już tylko dla innych, i to będzie miłe? Wie pan, ja nie czekam specjalnie na jakieś nasze nie wiadomo jakie spotkanie, ja się z nim w duchu nie rozstaję. Gadamy cały czas. Maciek mi się śni. Wczoraj na przykład się do niego dodzwoniłam przez sen, to było strasznie miłe. Czasem się nie mogę dodzwonić i gdzieś wraca myśl, że on nie żyje, ta myśl jest mi tak obca...

Dzwoni pani do niego we śnie?

Śni mi się, że wykręcam jego numer i dość często nie odbiera. Wczoraj odebrał i był taki szczęśliwy...

Co mówił?

Że był tu, był tam, że w jakichś ciepłych krajach, że jest bardzo zadowolony...

A gdyby zapytał: „Po co ja ci w ogóle jestem potrzebny, jeżeli ty sobie tak znakomicie radzisz?".

Do szczęścia.

1 grudnia 2010 roku

BUNT OZNACZA KLĘSKĘ

[Janina Ochojska-Okońska]

Nazywam się Janina Ochojska-Okońska, jestem szefową Polskiej Akcji Humanitarnej, pomagam ludziom – to jest moje główne zajęcie i pasja. Jako dziecko zachorowałam na polio, od dzieciństwa chodzę o kulach, musiałam przejść trzydzieści trzy operacje, trzydziesta czwarta pewnie niebawem mnie czeka. Jeszcze dwa lata temu wejście po schodach nie przedstawiało dla mnie trudności, teraz jest mi coraz trudniej. Spodziewałam się, że z wiekiem będę coraz mniej sprawna, i zawsze myślałam, że skoro wiem, czego się spodziewam, to będę to potrafiła przyjąć łatwiej. Ale nie jest łatwiej.

Nauczyłam się przyjmować to, co przynosi czas, i nie walczyć na siłę o to, co wydaje mi się, że będzie dla mnie dobre. Pragnienia są po to, żeby je spełniać, ale potrzebna jest pokora, która daje umiejętność harmonijnego życia. Zawsze uważałam, że spełnienie pragnień za wszelką cenę nigdy nie jest dobre. Nie szukałam męża, ale kiedy go poznałam, wiedziałam, że spotkało mnie ogromne szczęście. Pewnego dnia po prostu przyszedł do nas do biura przeprowadzić ze mną wywiad. Pobraliśmy się rok później. To były bardzo szczęśliwe lata. Niestety, potem przyszła zdrada. Człowiek, który jest zdradzony, opuszczony, zawsze ma poczucie, że jest gorszy z jakiegoś powodu. Z tym poczuciem musiałam sobie jakoś dać radę.

Zdrada uderza w serce, w kobiecość, we wszystko, co duchowe. Jak po czymś takim się zebrać, jak wstać, jak znaleźć na nowo sens i umiejętność życia z taką raną w sercu?

Po każdym upadku trzeba wstać, nie można leżeć bez końca. Doktor Lech Wierusz, człowiek, który stworzył ośrodek dla osób niepełnosprawnych, gdzie spędziłam lata jako nastolatka, mówił nam zawsze: „Możecie całe życie płakać z powodu niepełnosprawności, bo to jest niełatwe. Tylko co z tego przyjdzie? A przecież można żyć pięknie. Każdy z nas ma coś wyjątkowego". Powtarzał: „Macie więcej, a nie mniej. Wam dano, a nie odebrano". Wyrastałam w poczuciu, że ta choroba tak naprawdę wysunęła mnie na czoło stawki, że autentycznie dostałam coś więcej, co pozwala, ba – nakazuje mi – robić więcej dla innych. A to, co mnie spotkało ze strony bardzo przeze mnie kochanego męża? Nie wiem, jaki jest tego sens. Ale wiem, że się kiedyś dowiem. Bo teraz wiem już, jaki sens ma moja choroba. Nie rozmawiałabym dzisiaj z panem, gdybym kiedyś nie zachorowała na polio. Nie wiem, jakie byłoby moje życie i co bym dzisiaj robiła. Skoro mam poczucie sensu życia, to moja choroba była darem. Więc może i ta zdrada jest...?

Pani zgadza się na to, by służyć, na to, że pani życie będzie nastawione na innych, będzie dawaniem. A co z panią?

Mam swoje jedyne, niepowtarzalne życie. Jestem szczęśliwa. Czasem ludzie mówią: „Pani jest taka wspaniała, pani tak się poświęca". A ja naprawdę się nie poświęcam. To, że czasem wydarzają się w moim życiu rzeczy, które są trudne, to nie znaczy, że nie mogę być szczęśliwa. Człowiek swoje szczęście tak naprawdę buduje sam. Kiedy byłam jeszcze z mężem, wydawało mi się, że moje szczęście zależy od niego, ale nawet w najlepszych małżeństwach nie można uważać, że szczęście zależy od drugiego człowieka. Ten człowiek może dawać nam część szczęścia, ale są przecież ludzie, którzy są poukładani w związkach, ale nieszczęśliwi z jakiegoś innego powodu. Więc wierzę w to, że swoje szczęście tak naprawdę tworzymy my sami. Mamy moc czynienia swojego życia szczęśliwym i pełnym, ale możemy je również uczynić trudnym do zniesienia. Co lepsze? W tym tworzeniu ważna jest też wiara, i to nie tylko wiara w Boga. Także w to, że każdy z nas jest wyjątkowym człowiekiem i że życie każdego z nas jest wyjątkowe. W to koniecznie trzeba uwierzyć.

Świetnie, ale co robić, gdy ktoś, kto mówił nam, że jesteśmy wyjątkowi, nagle przychodzi i mówi: wiesz, jest ktoś bardziej wyjątkowy od ciebie.

Oczywiście, że zwłaszcza na początku jest to straszny cios, trudny do udźwignięcia tak od razu. Ja w dodatku dowiedziałam się o tym wszystkim nagle i oczywiście wypłakałam swoje, byłam nieszczęśliwa, mówiłam sobie: „Tak, znalazł sobie nowy egzemplarz, młodszy, zdrowy". Ale takie słowa mówi się wtedy, gdy człowieka boli, gdy ten ból rodzi gniew. Później zrozumiałam, że to stało się nie dlatego, że jestem gorsza. To wszystko zwykle jest znacznie bardziej poplątane. Zrozumiałam, że ktoś mi bliski okazał się słaby i w tej słabości nie znalazł siły na heroizm bycia wiernym. Mam bliską przyjaciółkę, która trochę wcześniej przechodziła przez podobną sytuację. To niezwykła osoba o wielkiej duchowości, szłam trochę jej śladami, ona bardzo mi pomogła przejść przez te trudne chwile. Pomogli mi też ludzie wokół, moja fundacja, czułam się potrzebna. Wiedziałam, że nie mogę pogrążyć się w bólu, bo przecież są ludzie, którzy czekają, którzy potrzebują mojej pracy, mojej siły. Miałam też takie poczucie, że jest w życiu – nie waham się tego powiedzieć – coś ważniejszego. Jeżeli mój mąż nie chciał ze mną zostać, jeżeli nic – żadne perswazje, rozmowy – nie pomogło, to nie można siłą zatrzymywać człowieka. To jego wybór. Ja nie mam wyjścia – muszę to zaakceptować i odkryć, że nie znaczy to, iż moje życie się skończyło. Bunt w takiej sytuacji oznacza klęskę i jest oznaką słabości. Moje nowe życie zaczęło się dla mnie na inny sposób. Lepszy? Gdzie jest ten dar? Nie wiem, ale kiedyś się dowiem.

Tragedia zaczyna się, kiedy człowiek nie ma wokół siebie nikogo, sam dla siebie jest jedynym punktem odniesienia.

Tak. Tak uważam. Gdy coś takiego się przytrafi, nie można zostać z zapłakanymi oczyma, ze wzrokiem wbitym w podłogę. Kiedy się podniesie głowę i widzi się, że nie jest się samemu – jakoś w końcu trzeba zebrać siły i iść dalej.

Czytając rozmowy z panią, zatrzymywałem się na momentach, w których mówi pani na przykład: „No i trafiłam do szpitala, i zostałam tam rok". Rok w szpitalu to jest coś koszmarnego. Czy trzeba wyrobić w sobie jakiś rodzaj specjalnej cierpliwości, jakiegoś – nie umiem powiedzieć zgrabniej – wewnętrznego buddyzmu, który pozwala nam się z tym mierzyć? Czy żyje się z tym, czy cały czas się z tym walczy?

Niewątpliwie miałam szczęście – pierwszy raz trafiłam do szpitala, gdy zachorowałam na polio, mając sześć miesięcy. Wychowałam się w sanatoriach i szpitalach. Dla mnie jest to środowisko naturalne, spędziłam tam więcej czasu niż w domu. Wiedziałam, że szpitale i operacje są konieczne, bo dzięki nim będę chodziła i będę sprawniejsza, a to oznacza lepsze życie. Dzięki temu, że spędziłam rok w szpitalu we Francji, gdzie znakomicie usztywniono mi kręgosłup, wyszłam bez szwanku po tym, jak nasz samochód, ostrzelany na górze Igman w drodze z Sarajewa, wpadł do przepaści. Pan Bóg zatrzymał go na głazie, który „czekał" piętnaście metrów niżej. Skończyło się na siniakach. Dla mnie szpital to nie strach, to nadzieja, że będzie lepiej albo że nie będzie gorzej. Nawet moi przyjaciele się śmieją, że dla mnie operacja to jak dla nich pójście do kosmetyczki.

A ból?

Ból to coś bardzo trudnego. Gdy jako dziecko przechodziłam pierwsze operacje, nie stosowano jeszcze takich środków przeciwbólowych. A nie wolno było płakać (pielęgniarki kazały być dzielnym, a koleżanki się śmiały, że beksa), więc czasem gryzło się poduszkę. Ale później, od siedemdziesiątego pierwszego roku, dawano mi już silne środki przeciwbólowe i tego bólu prawie wcale już nie było. Poza tym ból to jest coś, co trzeba opanować i co przechodzi. Różne miałam w życiu etapy, ale to jest tak, że im większa nadzieja, tym ból staje się jakby mniejszy i łatwiej też jest o nim zapomnieć.

Skutki tej choroby to nie jest coś, co osiąga constans *i dalej już nie idzie. Sama pani wspominała, że coraz trudniej jest pewne rzeczy zrobić.*

W polio wszystkie stawy zużywają się szybciej, mięśnie są słabsze, więc z wiekiem jest coraz trudniej. Na to trzeba się przygotować, chociaż pewnie do końca nikt tego nie potrafi. W kwietniu lecę do Sudanu i muszę przyznać, że myślę, iż to może być mój ostatni taki wyjazd. Jest mi coraz trudniej się poruszać, chociaż wciąż wierzę w to, że może stanie się cud i jeszcze jakoś stanę na nogi.

Te wyjazdy z PAH-em to przecież pani życie.

To jest moje życie. I pewnie będzie mi bardzo trudno, jak już nie będę mogła pojechać w miejsca, gdzie niesiemy pomoc. Kierowałam się zasadą, że nie mogę zostać w domu, a innych wysyłać na wojnę. Byłam więc w Sarajewie, w Czeczenii, Afganistanie, Iraku. Poza tym widzę swoją rolę jako świadka tragedii ludzi, a świadek musi być na miejscu, żeby móc świadczyć. Jeśli wyjazd do Sudanu będzie rzeczywiście ostatni, moje życie pewnie trochę się zmieni. Ale nawet jeżeli siądę na wózku, co prędzej czy później nastąpi, nawet z tego wózka będę przecież mogła coś robić dla innych.

Kiedy zostaje pani sama z sobą, zdejmuje z głowy cały świat, wszystkich tych ludzi, ich ból – czy ma pani wtedy ochotę się rozpłakać, czy z satysfakcją mówi sobie: „Szczęśliwe, spełnione życie, dobrze mi tu, gdzie jestem"?

Ja mam jakby podwójne życie. Jedno jest tu, w Warszawie, gdzie jest siedziba fundacji. Tu spędzam większość czasu. Ale tak naprawdę mieszkam w Krakowie. Mam tam miłe mieszkanie pełne książek i płyt. Bardzo lubię czytać, to dla mnie wytchnienie, mam wspaniałych przyjaciół, więc mogę też z nimi spędzać czas na rozmowach. Słucham muzyki, to bardzo uspokajające, myślę o tym, co dalej, co robić, snuję plany. Ból innych zawsze jest we mnie obecny, nie można zapomnieć o tych, którzy potrzebują naszej pomocy.

W pani planach było miejsce na rodzinę?

Zawsze o tym marzyłam, chyba każda kobieta o tym marzy. Ale przyznaję, że nie robiłam wiele w tym kierunku. Na studiach i po nich przez dziesięć lat kochałam się w koledze ze studiów. Pięknie, wytrwale, bohatersko, platonicznie, bez wzajemności. [*śmiech*] To uczucie mi wiele dało, pomimo że spełnione we mnie, w relacji pozostało niespełnione. Później praca tak mnie pochłonęła, że o tym nie myślałam i gdy spotkałam Michała, to właściwie byłam zaskoczona jego uczuciami, moje uczucia były bardziej odpowiedzią na jego uczucia. No, ale jak już decydowałam się wyjść za mąż, to była świadoma decyzja. Był człowiek, któremu bardzo na mnie zależało, który bardzo mnie kochał, ja go również pokochałam i przeżyłam osiem bardzo szczęśliwych lat. Pewnie, że wolałabym, żeby był ze mną, ale skoro nie jest, jak powiedziałam, moje życie się nie skończyło. Mam poczucie, że mam wiele do zrobienia i do dania.

Chciałaby pani otrzymać coś więcej?

Nie. To, co mam, w zupełności mi wystarczy.

To nie jest zgoda na stagnację, na przegraną?

Nie. Bo mówiąc, że to mi wystarczy, mówię nie tyle o ilości, ile o rodzaju i jakości. Gdy poprzednio byłam w Sudanie, widziałam, jak woda wytryskuje podczas wiercenia studni. Wie pan, jaka to jest radość, jakie szczęście? Gdy widzę tych ludzi, którzy tańczą, dzieciaki, które wskakują pod tę wodę, żeby je całe oblała, bo pewnie po raz pierwszy w życiu widzą tyle czystej wody. To taki dar, że człowiek wraca naładowany, obdarowany i myśli już tylko o tym, jak by tu kogoś namówić, żeby dał czterdzieści pięć tysięcy na kolejną taką studnię. Widzi pan, jak ja wiele dostaję? To są przeżycia, które pozstają na trwałe w pamięci i dają poczucie siły – mogę jeszcze więcej! Nie pozostaje mi nic innego, jak dalej w tym trwać, bo nadaje to sens mojemu życiu, życiu innych, i mam takie poczucie, że wspólnie budujemy coś lepszego na przyszłość, ale jednocześnie budujemy siebie. Ksiądz Tischner nam mówił, że w każdym momencie życia trzeba być gotowym na odejście. Chciałabym właśnie tak żyć, że gdybym musiała jutro odejść, to moje życie byłoby – jak pan wcześniej sugerował – wyrazem służby dla drugiego człowieka. To nie znaczy, że ja o sobie zapominam, ale, naprawdę, im więcej jest tej służby, tym bardziej ja w tym jestem i to jest moje, i ja tym bardziej się buduję.

A jak już to życie wypełni się tutaj – jak pani sobie wyobraża życie tam? Błogi odpoczynek czy działanie?

Odpoczynek to chyba nie dla mnie. Mam nadzieję, że jednak będzie coś do roboty.

Będą pytania: „Panie Boże, ale po co były te ciemniejsze momenty, dlaczego?".

Takich pytań się Panu Bogu nie zadaje. Tutaj – to tylko frustruje. Tam – może zanim zdążę je zadać, poznam wszystkie odpowiedzi.

23 marca 2011 roku

TAM NIE MOŻE BYĆ PUSTO

[Krystyna Stopczyk]

Nazywam się Krystyna Stopczyk. Podobno lekarzem jest się do końca życia, więc mimo że jestem emerytką, pozostałam lekarzem. Straciłam – i to było największe przeżycie – córkę, która miała dwadzieścia lat. Zobaczyłam na środku jezdni brudną szmatę, podniosłam ją i tam leżała Joaśka. Pamiętam, jak szłyśmy przez podwórka, a ona mówi: „Mamo, po co się tak spieszysz? Przecież nie trzeba się tak strasznie spieszyć". To były ostatnie słowa, które od niej usłyszałam.

Każde nasze zdanie może być ostatnim, ktoś je zapamięta, to będzie dla niego motto.

To powinno być przesłanie dla mnie, ale jej nie posłuchałam. Nadal chodzę szybko. I fizycznie, i duchowo.

Co to znaczy „szybko chodzić duchowo"?

W moim wieku można by już sobie wiele rzeczy odpuścić. Tyle że ja nie potrafię być na emeryturze. Formalnie musiałam na nią przejść, ze względu na sytuację rodzinną – dwie ciężko chore bliskie osoby. Gdy zmarły – nie wróciłam do zawodu, ale natychmiast znalazłam sobie inne zajęcie. Jestem wolontariuszem w hospicjum, działam w parafialnym Caritasie, układam kwiaty w kościele, co jest moim hobby. Pomagałam matce wychowującej bardzo upośledzone dziecko, ten chłopiec niedawno umarł, więc to mi odeszło. Teraz być może będę się opiekować panem, który choruje na nowotwór i jego choroba wchodzi w fazę terminalną.

Chce pani wypełnić ciszę po stracie? Zagłuszyć ból? Dać dobro ludziom, póki jeszcze są na tym świecie?

Doceniam pana zdolności psychoanalityczne [*śmiech*], ale to chyba po prostu mój charakter. Zawsze taka byłam. Najpierw były dzieci i praca, dwa żywioły, które jakoś próbowałam godzić. A teraz, dopóki starcza mi sił i zdrowia, nie chcę tracić tego tempa. Nie widzę powodu. To nie jest zapełnianie pustki. Jestem sama, ale nie jestem samotna.

Czy lekarz inaczej przeżywa śmierć bliskiej osoby?

Chyba nie. Starałam się nie przeżywać umierania pacjentów emocjonalnie, bo dodawałabym im tylko cierpień – jeżeli wiązałabym się z nimi uczuciowo, przestawałabym myśleć. Śmierć pacjenta, nawet najtragiczniejsza, to naprawdę zupełnie inna kategoria. Pamiętam swoją pierwszą lekarską śmierć: piękny, dorodny czternastoletni chłopak umierał zatruty grzybami. Dziś miałby szansę, są nowe sposoby leczenia, ale to było pół wieku temu, więc musiał umrzeć. Śmierć niemowląt, które miały całe życie przed sobą. Wiedziałam, że nie mogę emocjonalnie się w to włączać. Śmierć córki spadła na mnie jak grom z jasnego nieba. Dwudziestoletnia dziewczyna, półtora miesiąca po ślubie, chwilę wcześniej zaliczyła egzaminy na pierwszym roku... Pełna życia, radości. I raptem jej nie ma.

Wypadek.

Dzisiaj tamtędy przejeżdżałam. Róg alei Niepodległości i alei Wilanowskiej. Oni z zięciem jechali Wilanowską, wracali od mojego męża, który był w Konstancinie na rehabilitacji po zawale. Jechali maluchem, a Puławską jechał szybko mercedes. Można sobie wyobrazić, szans nie było żadnych. Zresztą wina była ich. To ich samochód wjechał pod tamten. Prowadził zięć. To śmiesznie zabrzmi, ale wyszedł z tego ze złamanym palcem. Bóg tak chciał.

Żeby pani córka zginęła?

Nie winię za to Boga. Zabrał ją widocznie w najpiękniejszym momencie jej życia.

Była pani na miejscu.

Siedziałam w domu, zadzwonił telefon, słyszę, że to koleżanka córki, płacze: „Proszę pani, coś się stało Joasce...", trzasnęłam słuchawką, wybiegłam, złapałam jakieś auto, rzuciłam kierowcy pieniądze i powiedziałam: „Proszę czekać", bo byłam przekonana, że córka została już odwieziona do szpitala. Zobaczyłam tłum, przestraszyłam się, pomyślałam sobie: „Nie przepchnę się, nie ma szans", ale widocznie tak wyglądałam, że ten tłum się przede mną rozstąpił. Zobaczyłam brudną szmatę, odgarnęłam ją i tam była Joaśka, jeszcze ciepła, i właśnie w tym momencie, kiedy klęczałam na środku jezdni, powiedziałam, sama nie wiem dlaczego: „Niech się dzieje wola Twoja". Potem miałam do siebie żal, że gdybym może Boga tam prosiła: „Reanimuj ją", chociaż to było już po reanimacji, może Bóg by ją wskrzesił...

Łazarza wskrzesił.

No właśnie, wskrzesił. Więc może gdybym prosiła, błagała, walczyła, kłóciła się tak, jak Abraham się kłócił o tych pięciu sprawiedliwych w Sodomie... A ja się nie kłóciłam, powiedziałam: „Niech się dzieje wola Twoja"... Oczywiście, to nie jest równoznaczne z tym, że nie cierpiałam. Byłam w szoku po prostu, policjant zabrał mnie stamtąd i posadził u siebie w radiowozie. Posiedziałam, a jak się odwrócił, to znowu poszłam do niej, bo chciałam być blisko. Potem błagałam ludzi, którzy przyjechali karetką przewozową... Oni mi tłumaczą: „Ale my wieziemy tylko na sądówkę", mówię: „Pozwólcie mi pojechać, jeszcze być z nią te kilka minut". I byłam. Zostawiłam ją, dopiero gdy mnie wyprosili z sądówki. Przeszłam może kilkadziesiąt metrów, z Oczki na Chałubińskiego, stanęłam pod latarnią, nie byłam w stanie zrobić ani kroku dalej. Znowu tak wyglądałam, że jakiś zupełnie przypadkowy samochód zatrzymał się, wychylił się człowiek i zapytał: „Gdzie panią zawieźć?". Wsiadłam i powiedziałam: „Nie wiem, ale niech pan jedzie, powiem panu w międzyczasie".

Ponieważ mąż był w Konstancinie i był świeżo po zawale, wiedziałam, że do niego nie mogę pojechać. Mamę miałam już bardzo starą, nie mogłam też do niej pojechać, nie miałam jeszcze siły. Syn był gdzieś na mieście, a to było przed epoką komórek, więc powiedziałam, żeby mnie zawiózł do przyjaciół, podałam adres. Tak to było.

Wybaczyła pani zięciowi?

W ogóle nie miałam do niego żalu, nie miałam pretensji. Kiedy trafiłam do przyjaciół, a oni zapytali, czego mi potrzeba, powiedziałam: „Dowiedzcie się, gdzie jest Wojtek, i zawieźcie mnie do niego". To była osoba, którą córka wtedy najbardziej kochała, i chciałam być przy tej osobie. Od razu wiedziałam, że to była jego wina. Były różne dywagacje, może to, a może tamto. Ale ja podświadomie wiedziałam, że to jego wina. Ale przecież on tego nie chciał. Przecież sobie też zrobił krzywdę.

Pytałem, bo znalezienie winnego przynosi ulgę, czasem pomaga się pozbierać... Jak pani się z tego podniosła?

Dziwnie. To był okres, kiedy mówiono o mnie: „Boże, jak ona się zestarzała", „Ona chodzi jak staruszka", a ja miałam wtedy czterdzieści lat. I rzeczywiście, nie byłam wtedy w stanie podbiec do autobusu, nawet gdy stał dwa kroki ode mnie. Ale najgorzej bolała psychika. Miałam potworny niepokój w sobie. On gasł w dwóch miejscach: w kościele, w czasie mszy, i na cmentarzu. Więc w tym pierwszym okresie codziennie jeździłam na cmentarz. To było egoistyczne, jeździłam tam dla siebie. Ale tam się uspokajałam. I właśnie w czasie mszy. Pamiętam, to było po miesiącu czy po dwóch, w małym kościółku w Konstancinie odchodziłam po Komunii i mówię: „Boże, uśmiecham się". To niemożliwe, sądziłam, że nigdy się już nie uśmiechnę, a tam wreszcie się uśmiechałam. Później starałam się to zracjonalizować. Doszłam do wniosku, że to, co się stało, nie było dla nikogo dobre – ani dla mnie, ani dla męża, ani dla jej brata, ani dla jej przyjaciół, ani dla jej dziadków, więc muszę sprawić, żeby dla kogoś to jednak było dobre. Miesiąc po jej śmierci poszłam do ośrodka adopcyjnego, bo już byliśmy za wiekowi, żeby mieć dzieci. Potraktowano mnie na dystans. „Pani przyjdzie za trzy miesiące". Pomyślałam sobie: „Nie, nie zapomnicie mnie". Poszłam po dwóch miesiącach. W międzyczasie rozmawiałam o tym z mężem i to był chyba jedyny raz, kiedy nie próbowałam wywierać na niego żadnej presji. Poszliśmy na spacer, powiedziałam: „Mariusz...", powiedziałam mu to, co panu powiedziałam, że chcę to zracjonalizować, pokazać, że Bóg z tego wyprowadzi dobro, ale musi to zrobić czyimiś rękoma. Niech zrobi naszymi. „Weźmy dziecko. Adoptujmy". I zamilkłam. Byłam przerażona, że odpowie mi: „Nie". I szliśmy. Długo to trwało. Pamiętam tę ulicę w Konstancinie, szliśmy tą pustą ulicą i w pewnym momencie powiedział: „No to załatwiaj".

Ta racjonalizacja się udała?

Pięćdziesiąt procent się udało. O starszej dziewczynce nic nie wiem. Nie mając osiemnastu lat, miesiąc brakowało, powiedziała, że w tym domu więcej nie wytrzyma, że tu jest jak w więzieniu, bo kazałam jej mówić, gdzie jest, i wracać do domu na noc. Ale to nieistotne. Bo druga jest rewelacyjna. To było dziecko, w które musieliśmy włożyć bardzo dużo wysiłku, ale i ona wkładała wysiłek ze swojej strony. Mając sześć lat, mówiła tak, że nie rozumiałam ani słowa, robiła wszystkie błędy językowe, jakie można sobie wyobrazić. Miała takiego zeza, że widziała tak naprawdę tylko na jedno oko, oraz mnóstwo innych rzeczy. Przez pierwsze dwa lata jeździliśmy bez przerwy po specjalistach, rehabilitacjach. Dziś jest wspaniałą dorosłą kobietą, skończyła szkołę średnią, choć mówiono mi, że nie przejdzie podstawówki. Ma dom, trzy dziewczynki...

Pani Krystyno, czy pani naprawdę jest aż tak poukładana...

Tak.

... i rzeczywiście aż tak racjonalna?

Tak. [*śmiech*]

I naprawdę nie ma takiego momentu, w którym cały ten system wali się w gruzy, przestaje funkcjonować, a pani siada i płacze?

Ależ oczywiście! Kiedy tamta nasza wychowanka nie wracała na noc, przykrywałam głowę kołdrą i krzyczałam, ale pod kołdrą, żeby nie budzić innych: „Jezusie, synu Dawida, ulituj się nade mną!". Oczywiście, że płaczę, oczywiście, że się denerwuję. Ale w zasadniczych rzeczach potrafię postępować racjonalnie.

A codzienne chodzenie na cmentarz?

Kładłam rękę na grobie, żeby być bliżej Joaśki. Wiadomo, że to nonsens. Teraz chodzę raz na tydzień lub dwa, żeby po prostu był porządek. W końcu to na cmentarzach sprawdza się pamięć narodów, a więc i rodziny. Natomiast na mszę nadal chodzę codziennie. Ktoś mnie nawet zapytał: „Słuchaj, czy ty nie robisz tego ze zwykłego przyzwyczajenia?". Zastanowiłam się, przemyślałam to, jak na mnie bardzo długo, bo chyba dwa dni nad tym sobie myślałam. Odpowiedziałam tej kobiecie, że nie.

Nie z przyzwyczajenia, tylko z autentycznej potrzeby. Gdy na przykład jadę na wakacje i kościół jest daleko, robię sobie przerwę dzień czy dwa, bo to nie jest tak, że muszę. Ale wtedy czegoś mi brakuje. Poza tym jestem tak nieznośna w stosunku do ludzi, że jakbym nie chodziła codziennie do kościoła, toby nie wytrzymali w ogóle ze mną, a tak to jeszcze jakoś mogą.

To pomogło pani przeżyć odchodzenie męża?

Męża i mamy – razem. Chociaż dzieliło ich czterdzieści lat. Mąż po zawale miał za granicą robione bypassy, u nas jeszcze się wtedy tego nie robiło.

Był lekarzem.

Kardiologiem, żeby było śmieszniej. Operacja się udała, rewelacyjnie zrobiona. I pierwszej nocy po operacji nastąpiło zatrzymanie krążenia. Bardzo długa reanimacja. Myślę, że gdyby to nie był lekarz, toby tak długo nie reanimowano. Poważne ubytki w mózgu, korowe i podkorowe. Przez trzy lata, rok po roku, robiliśmy tomografię mózgu. Gdy dostałam do ręki pierwszy wynik, nie wiedziałam, jak mam to mężowi pokazać. Ale pokazałam. Ten drugi i trzeci też. Po trzech latach powiedziałam: „Mariusz, nie róbmy, bo...” – i znowu mój racjonalizm – „bo wiadomo, że lepiej nie będzie. Będzie tylko gorzej, to po co mamy się denerwować?”. Problem był taki, że mąż coraz gorzej mówił, coraz gorzej chodził. Z chodzeniem były ogromne trudności, chodził do ostatniego momentu, ale wynikało to z tego, że jestem taka, jaka jestem – bardzo twarda. Mariusz pozwolił na tę moją twardość, chciał mi na to pozwolić. Bo właściwie każdy spacer był dla niego i dla mnie męką. Po pewnym czasie przestał mówić. Wydaje mi się, że się wstydził mówić źle, więc w ogóle nie mówił. Nie wiem, czy to powinnam powiedzieć, ale powiem... Mówił tylko dwa słowa – gdy wieczorem kładliśmy się, mówił mi: „Kocham cię". I mówił to bardzo wyraźnie i dobrze. To jest to, co mi zostało. Ale pytał pan o jego śmierć. Byłam przygotowana, że to może się stać w każdej chwili. Akurat odwiozłam męża do szpitala, jeszcze poprzedniego dnia byliśmy z synem i mąż lepiej się czuł. A w nocy był telefon, że zmarł. To pewnie był ten taki moment poprawy przed odejściem. Następnego dnia, ponieważ wszyscy u mnie w parafii wiedzieli, że mąż choruje, jeden z wikariuszy zapytał mnie, co z mężem. Mówię mu, że nie żyje. „A pani jak się czuje?" Zamrugałam oczami, myślę sobie: „Co on, zgłupiał? Co za pytanie? Jak... Co w ogóle... Czy to jest istotne?". Ale mimo wszystko zastanowiłam się nad jego pytaniem i powiedziałam: „A ja jestem spokojna". I rzeczywiście ogarnął mnie ogromny spokój. Mąż chorował dwanaście lat, przez cały ten czas czułam się ogromnie odpowiedzialna. Za wszystko, i jako żona, i jako lekarz, i jako człowiek. A tu raptem wszystko to odeszło. Byłam rzeczywiście spokojna. Dwa miesiące później zmarła moja mama. Byli z mężem szalenie związani. Antyteza tego, co się mówi o zięciach i teściowych. Nawet gdy już ciężko im było się poruszać, jak mijali się gdzieś tam w domu, to chociaż ręką się dotknęli. Śmierć męża na pewno się przyczyniła do śmierci mamy, bo mama nie miała już motywacji do życia. Dotąd wiedziała, że musi usiąść koło niego, pogłaskać go, mówić do niego, a tu raptem to się urwało. Miała dziewięćdziesiąt lat, więc miała już prawo odejść...

Obrączkę wciąż pani nosi.

Oczywiście. Tylko coraz częściej mi spada, martwię się, że w końcu ją zgubię.

Ludzie modlą się, żeby Bóg zachował ich od nagłej i niespodziewanej śmierci, innym razem mówią, że ta nagła i niespodziewana jest lepsza. Pani była przy obu...

Ta nagła jest lepsza dla osoby umierającej, nie dla otoczenia. Dla osoby umierającej na pewno, umiera w komforcie, w czystym ubraniu, szybko, bez bólu, bez niesprawności, bez wszystkiego. Genialna śmierć, o ile jest się na to przygotowanym w sposób duchowy.

Pani córka była?

Pytałam zięcia. Powiedział, że ostatni raz byli u spowiedzi jakiś miesiąc wcześniej. Więc myślę, że Pan Bóg jej wybaczy, nawet jak tam coś przez ten miesiąc nagrzeszyła. Wierzę w miłosierdzie Boże.

Z perspektywy nas, którzy zostajemy, każda śmierć jest chyba tak samo straszna.

Nie... Śmierć córki przeżyłam zdecydowanie bardziej. Być może dlatego, że to był pierwszy z tego ciągu zgonów, chociaż przedtem ojciec mój umierał i tak tego nie przeżyłam. Być może dlatego, że to jest dziecko, a każda śmierć dziecka jest bezsensowna, bo nie po to nas Bóg stwarzał, żeby tak szybko zabierać. Ale widocznie ma jakieś plany, jest w tym cel. Natomiast przewlekła, powolna śmierć jest straszna... Jest straszna...

Jak pani chciałaby umrzeć?

Szybko, oczywiście. Natychmiast.

Natychmiast – szybko, czy natychmiast – teraz?

Ależ oczywiście, mogłabym teraz. Tak jak pan słyszał, mam co robić. Ale nie czuję się taka niezbędna, moją robotę każdy może zrobić. Najwyżej nie będzie jedna osoba robiła, tylko może trzy. [*śmiech*]

Co pani powie Panu Bogu, gdy się już z Nim spotka?

Niech On mnie pyta, tak jak pan. Nie wiem, co Mu powiedzieć, teraz do Niego mówię, a On nic mi nie odpowiada. Czuję się jak Teresa z Ávili, która mówiła, że ma w sobie okres nocy ciemnej. I ja przechodzę teraz taką noc. Na pewno.

Po niej będzie świt?

Nie mam nadziei, mam pewność, że będę zbawiona. Mam pewność, bo tak bardzo wierzę. Nie w to, że jestem bezgrzeszna. Nie, nie, absolutnie – przeciwnie. Im jestem starsza, tym wyraźniej widzę swoją grzeszność. I coraz większą mam wiarę w miłosierdzie Boże. Przecież nie po to tworzył tę ziemię, nie po to tworzył niebo, żeby było tam pusto. On musiał to stworzyć dla nas.

14 września 2010 roku

STO DWADZIEŚCIA LAT DO PRZEŻYCIA

[Aleksander Gudzowaty]

Nazywam się Aleksander Gudzowaty. Kim jestem – to najtrudniejsze pytanie, bo mam wiele wcieleń. Moja choroba jest przewlekła i siedzi we mnie już pięćdziesiąt lat. Jest niezwykle dokuczliwa, bardzo bolesna. Napisałem kiedyś list do Pana Boga, zatytułowałem go: „List do Wielkiego Elektryka". Człowiek, który umiera, wchodzi w nieczytelny nowy byt i tylko od niego zależy, z jakim ładunkiem w to wchodzi, tylko on mógł sprawić, by jego życie było wartościowe i godne. Łaska życia ma to do siebie, że jej koniec i początek wcale od człowieka nie zależy.

Czytałem ten pana „List do Wielkiego Elektryka".

Podobał się?

Jest w nim parę frapujących wątków. Pisze pan, że każdy człowiek ma jakiś „kontyngent" lat do przeżycia... Chciałby pan wiedzieć, ile lat ma pan jeszcze przed sobą?

Ja to wiem.

Ile?

Wiem, ile mam mieć, ale czy mi się uda to wszystko przeżyć – tego nie wiem.

Skąd pan wie?

Istnieje coś takiego jak fizjologiczna bariera, której człowiek nie może przekroczyć. Każda tradycja, religia inaczej o niej mówi, chrześcijaństwo na przykład nie określa tej bariery...

W jednym z psalmów mówi się, że „miarą naszego życia jest lat siedemdziesiąt, osiemdziesiąt, gdy jesteśmy mocni"...

Medycyna stała wówczas na niższym poziomie. Generalnie w tradycji hebrajskiej człowiek ma żyć sto dwadzieścia lat. Mam dużo do czynienia z tą tradycją, często jeżdżę do Jerozolimy, więc za swoją fizjologiczną barierę uważam właśnie sto dwadzieścia lat.

Chytrze pan to sobie wymyślił.

Nie chytrze. Trzeba tworzyć nadzieję, trzeba mieć marzenia. Jeśli dożyję tych stu dwudziestu lat...

Nasz system emerytalny nie będzie zachwycony.

Nie pobieram emerytury ze względów etycznych, więc ta sprawa mnie nie dotyczy. Nie chcę o tym mówić, źle znoszę tę dyskusję, która nas dziś otacza i dusi.

W tej rozmowie możemy ją pominąć.

Więc człowiek ma tyle życia, ile otrzyma od Stwórcy. Ile ja otrzymam – zobaczymy.

Jest pan szczęśliwym człowiekiem? Mówi się, że pieniądze szczęścia nie dają. Co daje?

Wybaczy pan, ale to dość ograne i w istocie banalne pytanie. Pieniądze dają wygodę, natomiast ja jeszcze pełnego szczęścia z całą pewnością nie osiągnąłem. To wciąż jeszcze przede mną.

Czego panu brakuje?

Nie umiem tego jeszcze precyzyjnie zdefiniować. Znalazłoby się pewnie kilka płaszczyzn. Choćby ta ludzka – mam wrażenie, że dziś ludzie lodowacieją, coraz trudniej o uczucia wyższego rzędu, o coś, co kiedyś było naturalnym wyznacznikiem człowieczeństwa, dziś trzeba walczyć. Na cholerę żyć w społeczeństwie do tego stopnia wzajemnie zantagonizowanym. Lepiej zakopać się w lesie i czytać stare książki. Kiedyś ludzie bardziej się lubili.

W Rzymie, Grecji i średniowieczu było dokładnie to samo co dziś.

Pana nauczono, że świat kończy się na Europie. Niech pan spojrzy łaskawie na Polinezję. Życie tam ma zupełnie inny kształt, ludzie zupełnie inaczej się do siebie odnoszą.

Nie będziemy już Polinezją. Mamy swoją historię, swój bagaż. Musimy próbować być szczęśliwi tu, gdzie jesteśmy.

Tak mówi człowiek, który już przegrał. A ja mam jeszcze szansę na wygraną.

Co pan chce wygrać?

Nie mówię o sobie. Chciałbym, żebyśmy zmienili otoczenie, warunki, okoliczności naszego tutaj bytowania.

Nie wiem, czy chcę, żeby pan zmieniał otoczenie.

Ale ja chcę.

Ucieka pan od pytania o deficyty pańskiego osobistego szczęścia.

Mówiłem już panu, że nie umiem tego tak do końca zdefiniować. Mieszkam na wsi, więc jestem szczęśliwy, bo nie znoszę miasta. Pieniądze mam, ale nie szastam nimi, staram się żyć w sposób opanowany. Choć mam swoje fanaberie. Zbudowałem piękną ekumeniczną kaplicę, z szokującej urody witrażami. Teraz buduję kaplicę dla czasów, które dopiero nadejdą, wychodząc z założenia, że to, co mamy teraz, już jak gdyby skwitowaliśmy, a przyszłość jest nieznana, teraz ją wykuwamy, trzeba o niej myśleć, szanować, dbać o nią. To, że ta kaplica niedługo powstanie, to będzie też taki fragment mojego szczęścia. Kocham zwierzęta, kocham ludzi, staram się być pozytywnym człowiekiem.

Jest pan wegetarianinem.

Byłem do czasu, kiedy moje zdrowie nie doszło do takiego punktu, w którym lekarze zmusili mnie do jedzenia mięsa. Teraz staram się wrócić do swojej normy. Jestem zaprzyjaźniony ze zwierzętami, mam ich wiele, różnych gatunków, żyję z nimi, rozumiemy się, bo to jest przykład społeczeństwa niezantagonizowanego. Przyjaciół zaś się nie jada.

Diagnozuje pan bolączki świata, ale ma pan też doświadczenie własnego cierpienia. Każdy, kto miał bóle kostno-stawowe, wie, że to jest jak potworny ból zęba, który potrafi wyrwać człowieka ze snu... Makabra.

Słucham z uśmiechem tego, co pan mówi, bo te moje bóle są dużo większe niż ból zęba. Ale do bólu można się też przyzwyczaić. Nie polubić go, ale się do niego przyzwyczaić. Zrobiłem to, nie miałem innego wyjścia.

Ktoś przychodzi i chce odebrać panu kontrolę nad pana życiem, nad pana projektami. Nie czuł pan irytacji?

Czułem, bo uważałem, że to niesprawiedliwe, że kumpla w ogóle nie boli, a mnie boli bardzo. Ale ostatecznie nauczyłem się wybaczać ludziom to, że są zdrowi.

Czy to pana cierpienie też ma być wpisane w projekt zmieniania świata, czy to po prostu niedogodność, o której trzeba zapomnieć, ominąć i dalej iść do przodu?

To niedogodność, którą trzeba powierzyć rozwojowi medycyny. Nic innego się tu nie wymyśli.

Kłopot w tym, że czasem nie jesteśmy w stanie doczekać dotyczących nas osiągnięć.

Odczułem to na własnym organizmie, ale wie pan, nie przesadzajmy z tymi nieszczęściami, bo to dopiero jest prawdziwy hamulec. Ciało jest podporządkowane głowie i jeżeli głowa jest sprawna i ma wgrany pozytywny program, to ból też jest do przeżycia. Mnie akurat ból nigdy nie przeszkodził w pracy, w życiu, po prostu był, towarzyszył, zaprzyjaźniliśmy się ze sobą. I tak trzeba trzymać. Gorzej, jak człowiek jest nieruchomy. Miałem taką sytuację dwa razy w życiu, ale wyszedłem z tego. Zauważyłem nawet, że przy większych chorobach głowa jest jakby odizolowana, ciało cierpi, ale głowa myśli pozytywnie. Byłem w stanie krytycznym, a mimo to nie miałem świadomości śmierci, miałem świadomość życia i jestem szczęśliwy z tego powodu.

Ktoś pomyśli: „Jemu łatwo to powiedzieć, bo ma pieniądze i wszystko może kupić". Drażni go miasto, to kupuje pół wsi. Coś go boli, ma najlepszych lekarzy na świecie.

Nie ma innych leków przeciwbólowych dla bogatych i innych dla biednych. Proszę mi wierzyć, kluczem nie jest portfel, ale głowa. Ciało musi być podporządkowane głowie. Głowa musi traktować ciało z życzliwością, dbać o jego potrzeby. Ale najważniejsza jest głowa, dusza. Może uzna pan to za herezję, ale ja dzielę człowieka na wodę i duszę.

Czytając pana list do Boga, miałem wrażenie, że pisze pan o ciele jako o pewnej, czasem kłopotliwej, czasem pięknej przypadłości, która zdarzyła się duszy. Zawsze pan tak myślał, a może to – paradoksalnie – pochodna pewnego komfortu, który daje majątek?

Proszę pana, ja bogatym człowiekiem jestem przez przypadek. Szczęśliwy przypadek. Przez większość życia żyłem poniżej średniego poziomu i nie przyzwyczaiłem się do wydawania pieniędzy. Nie mam samolotu, jachtu, wydaję na rzeczy, które sprawiają mi przyjemność duchową. Postawiłem piękny olbrzymi monument w Jerozolimie, który jest już w tej chwili uważany za dar Polaków, od czterech lat prowadzę też tam konferencję naukową, na której spotykają się wszystkie religie, to jest bogate życie, dające satysfakcję. Mam poczucie, że wydaję pieniądze na prawdziwe życie, na uczenie ludzi tolerancji. Nie mam za dużo czasu na inne sprawy. A te moje pieniądze to naprawdę był szczęśliwy traf. Jeszcze za PRL-u pracowałem na wielkich liczbach i jak mnie wywalili z pracy, nie umiałem pracować na mniejszych. Na tym zarobiłem. To wszystko.

Myśli pan o swojej śmierci?

Czasem myślę. Będzie mi szkoda zostawić dzieci, kumpli. Moje zwierzęta, choć z tego pewnie będzie się pan śmiał.

Nie będę. Rozumiem to doskonale.

Nie jestem pewien. Młody człowiek, wykształcony, otoczony młodzieżą, na zwierzęta nie patrzy pan tak jak stary człowiek, jak ja...

Widzę to dokładnie tak jak pan.

Cieszę się. Bo wie pan, one dla mnie są wszystkim i wcale nie są takie głupie... Żal będzie je zostawiać.

Boi się pan tego momentu?

Jak już mówiłem – dwa razy byłem o włos. I muszę panu powiedzieć, że głowa nie jest dostosowana do umierania. Ona jest pełna optymizmu, człowiek sobie nie zdaje sprawy. O tym, że umierałem, dowiedziałem się później, ale w tym swoim nieprzytomnym bycie nie miałem takiej świadomości. Myślałem pozytywnie. Było tam coś pomarańczowego, coś czarnego, szedłem, cofałem się, jak już się cofnąłem, usłyszałem: „Będzie żył". Pomyślałem: piękna wiadomość. Nie cierpiałem, czułem tylko chłód, jakby ktoś odrobinę przekręcił klimatyzację i rześkość stała się tak intensywna, że zaczęła odrobinę dokuczać. Poczułem, że zanurzam się w jakiejś nowej formie bycia. Że w zasadzie nic nie wiem o świecie. Wielką krzywdę robią sobie ludzie, którzy ironizują na temat Boga, religii, duchownych – oni osłabiają społeczeństwo, to niedobra maniera. Kapłanom trzeba pomagać w ich pracy, to są robotnicy Boga. Również po to robimy tę konferencję w Jerozolimie, żeby samym duchownym o tym przypomnieć.

Czy doświadczył pan w życiu lęku?

Strachu o kogoś tak, lęku o siebie nie. Czułem strach, gdy modliłem się, żeby mój ojciec żył choć o godzinę dłużej. Czułem, jak ucieka nam czas, że gdybym może przyłożył się bardziej, wyrwałbym jeszcze tę godzinę więcej. Nie udało się. To było koszmarne uczucie, ból, lęk, rozczarowanie. To było cierpienie.

Cierpienie ma jakiś sens?

Bo uszlachetnia? To pan miał na myśli?

Nie jestem zwolennikiem tej tezy.

Cierpienie to po prostu jedna z faz bytu. Kto przez nią przeszedł, ma większy szacunek do przytrafiającego mu się dobra, ba – umie je zauważyć. Czuję, że nie za bardzo mogę się na ten temat wypowiadać, bo cierpienie jest wpisane w moją osobowość, w mój życiorys. Ale myślę, że trochę cierpienia nikomu nie zaszkodzi. Chociaż trochę, minutę, fragment.

Czy pan wierzy w Boga jako osobę? Czy Bóg jest dla pana energią, siłą?

Jestem przeciwnikiem takich pytań, one są zbyt osobiste, ale skoro pan się uparł, powiem tak: nie ma świata bez Stwórcy. Bo nie ma czegoś takiego jak nic. A jeżeli zawsze coś jest, to musi być skądś, musi być jakiś Stwórca. Kiedyś z pewnym kanadyjskim astronomem przegadaliśmy całą noc o globalizacji i radykalizmie we wszechświecie. I gdybyśmy nie podłożyli w to miejsce faktu, że istnieje Stwórca, Bóg, wszystko jedno, jak Go pan nazywa, tobyśmy zwariowali. Bo świata nie da się wytłumaczyć inaczej. Stąd wzięło się stwierdzenie, że im więcej wiem, tym bardziej muszę wierzyć w Boga. Nie zazdroszczę ludziom, którzy krzyczą, że oni to po śmierci zamienią się w tablicę Mendelejewa.

Ja im zwykle mówię, że wierząc w życie pozagrobowe, nic nie ryzykują. Przecież jeśli go nie ma, nawet nie zdążą się poczuć rozczarowani.

Ja w ich wystąpieniach zauważam zbyt dużo cynizmu, braku szacunku do tego, czego się nie wie. Do innych ludzi. Ale – chcą być pierwiastkami, niech sobie będą.

Kim by chciał być Aleksander Gudzowaty w przyszłym życiu?

Byt przyszły jest nieznany.

Jakieś przeczucia pan ma.

Nie jestem na tyle zarozumiały, żeby określać swoją pozycję w czasie, o którym nic nie wiem.

Czego by pan chciał, o czym by pan marzył, aby czekało na pana po tamtej stronie?

Nie myślałem o tym. Szczerze. Śmierć jest innym bytem.

Gdzie są w tej chwili nasi zmarli bliscy? Pana ojciec?

To zabrzmi śmiesznie i naiwnie, może pan pomyśli, że to bzdury, ale powiem panu, że moi rodzice nigdy nie umarli. Mam z nimi stały kontakt. I to nie jest żadna metafizyka, ja po prostu tak ich potrzebuję, że jestem cały czas z nimi... Dla mnie oni żyją. Są ze mną, nie mogę powiedzieć, że ich nie ma, choć przecież sam ich w tym grobowcu pochowałem. Może pomyśli pan, że jestem chory, a może to prawda, ja nie wiem.

Nie wszystko postrzega się zmysłami.

Właśnie. Jest przecież postrzeganie uczuciem, świat pełniej, w większej liczbie wymiarów, postrzega się duszą. A kluczem do tajemnicy życia pozagrobowego jest to, że trzeba żyć tak, żeby pozostawić po sobie dobre ślady. Trzeba zostawić po sobie szacunek. Żeby znalazł się taki ziemski podmiot, który będzie miał ze mną po mojej śmierci kontakt psychiczny. Jakiś rodzaj więzi.

Życzę panu, żeby pan dociągnął do tej sto dwudziestki, ale jeżeli tak się zdarzy, że to pan pójdzie pierwszy na tamtą stronę, a nie ja...

Tak się na pewno zdarzy. Pan jest młody, zdrowy chłopak.

... jak by pan chciał być zapamiętany? Przyjdę na pana grób – co mam pomyśleć o Aleksandrze Gudzowatym?

Nie będę panu narzucał scenariusza, pańskich wrażeń.

Nalegam.

Wystarczy, że pan pomyśli o mnie ciepło, że ten człowiek coś zrobił, czegoś chciał, o coś walczył. To może niezbyt dobra odpowiedź jak na Polskę.

Dlaczego?

Bo jak ktoś to usłyszy, to zaraz będą komentarze. Ale skoro szczerze mnie pan pyta – mówię szczerze: proszę pomyśleć o mnie wtedy ciepło.

Zgoda. Jeśli to pana zgarną pierwszego.

23 marca 2011 roku

ALKOHOLIK TO NIE MENEL

[Tadeusz Broś]

Nazywam się Tadeusz Broś. Nie wiem, który mój zawód jest pierwszy: aktor czy dziennikarz. Aktor to zawód wyuczony, przyuczonym dziennikarzem jestem dwadzieścia pięć lat. Jestem też reżyserem telewizyjnym. Z telewizji zostałem wyrzucony z dnia na dzień, później łapałem różne zajęcia. Przedtem wchodziłem do sklepu, płaciłem kartą kredytową i nie interesowało mnie, czy coś kosztuje sześćdziesiąt osiem złotych, czy dziewięćdziesiąt dwa. Teraz jest dla mnie istotne, czy to kosztuje jedenaście czterdzieści, czy jedenaście osiemdziesiąt. Kiedyś na jakimś prawie rządowym bankiecie w Ciechocinku obok mnie siedział pewien dyrektor departamentu i mówi: „Pij!". Ja mówię: „Nie piję, bo jestem alkoholikiem". On na to: „No to właśnie dlatego się napij!". Czy jest sens tak żyć, czy warto wspinać się tak wysoko, by później tak nisko upaść? Im wyżej się człowiek wspina, tym upadek jest boleśniejszy.

Byłeś gwiazdą mojego dzieciństwa. Teleranki, teleferie, festiwale dla dzieci – wszędzie Tadeusz Broś.

„Gazeta Wyborcza" nazwała mnie nawet „ikoną telewizyjnych programów dla dzieci lat osiemdziesiątych".

Pamiętasz chwilę, gdy zacząłeś lecieć w przepaść?

Był taki moment w latach dziewięćdziesiątych, gdy poczułem, że nie radzę sobie z chorobą.

Z alkoholizmem.

Z chorobą alkoholową. Z uporem godnym tej sprawy nazywam to chorobą alkoholową, bo alkoholizm ma bardzo negatywną konotację. W społecznym odbiorze alkoholik to...

Menel.

Dokładnie. Ktoś, kim należy pogardzać, i tak dalej. Natomiast człowiek chory to zupełnie inna sprawa. Poważna, przecież ta choroba jest śmiertelna, „wyjątkowo śmiertelna", bo nawet z nowotworów ludzie zdrowieją, a w chorobie alkoholowej mamy tak zwany syndrom zakiszonego ogórka. Ze świeżego ogórka jesteś w stanie zrobić kiszonego, ale odwrotnie już nie. Klamka zapadła. Nieodwracalny proces chemiczny, organizm przeprogramowuje się na inną przemianę materii. Alkoholik to człowiek, który może opanować chorobę, ale nigdy nie będzie zdrowy.

Na początku nie ma się chyba tej świadomości.

Przez pięć lat nie wiedziałem, że to jest choroba, leczyłem się na wszystko. Lekarze pierwszego kontaktu wiedzą tyle o chorobie alkoholowej, co ja o balecie klasycznym – kojarzę, że coś takiego istnieje. Na studiach mają podobno kilkanaście godzin poświęconych chorobie alkoholowej, a przecież w Polsce problem ma skalę epidemii.

Kiedy się zorientowałeś, co ci jest? Szukam punktu wyjścia, momentu, kiedy wstałeś z łóżka i powiedziałeś sobie: „Nie mam kontroli nad sobą, coś się dzieje...".

To było łóżko szpitalne. Przyjechało pogotowie, wzięli mnie do szpitala na sygnale.

Miałeś zespół odstawienia?

On pojawia się właśnie, kiedy trzeźwiejesz.

Przeciętny człowiek ma wtedy kaca.

A u chorego pojawia się padaczka, trzeba wezwać pogotowie. Dobrze, gdy kończy się na padaczce. Bo może też pojawić się delirium, utrata kontaktu z rzeczywistością, omamy, straszne rzeczy. Stąd relacje o ludziach przywiązanych do łóżek, walczących z demonami, owadami, szczurami, potworami. Marek Piwowski nakręcił o delirium genialny, porażający film.

Musiałeś też zauważyć zmianę w spojrzeniach ludzi. Dotąd widzieli w tobie gwiazdę telewizji, człowieka ze szczytu. Teraz jesteś gościem z delirium tremens.

Pamiętam, jak pierwszy raz przywieziono mnie do Szpitala Bródnowskiego i lekarz dyżurny powiedział: „To jest alkoholik", w taki sposób, że na chwilę przestałem czuć się człowiekiem. Zupełnie niedawno – już w pełni świadomości choroby i sposobów walczenia z nią – poszedłem do lekarki pierwszego kontaktu i mówię jej, że dwa lata temu byłem w sanatorium w Polanicy, bardzo dobrze się po tym poczułem i czy można by było to powtórzyć. Spojrzała na mnie: „Alkoholik? Do sanatorium? Oni nie potrzebują tam takich klientów". Nieważne, że byłem tam, nie zdemolowałem niczego, pacjentki zostawiłem nietknięte...

Ale to chyba nie jest zamierzona chęć poniżenia, tylko irytacja na człowieka, który często sam się w tę swoją biedę wpędził. Podczas gdy wokół masz ludzi, którzy nie przyłożyli ręki do tego, że był wypadek, albo mają raka.

To nie jest takie proste. Ta choroba jest perfidna, bo trafia ludzi już przez życie nadgryzionych. Spokojnie czeka na swój moment, a jak widzi, że jesteś osłabiony – przewraca cię na łopatki. Słyszałeś o człowieku, który zapadł na tę chorobę ze szczęścia? U mnie też to szło etapami. Kilka razy kolejne polityczne zmiany warty na Woronicza wyrzucały mnie z pracy. Wcześniej wziąłem spory kredyt, który w związku z tym przestałem spłacać. Pijesz, bo nie masz innego pomysłu, jak sobie poradzić z czymś, co jest większe od ciebie. Nie zauważasz, kiedy przekraczasz próg, za którym kontrola nad twoim życiem przechodzi w obce ręce. Następuje deformacja osobowości, u prawie każdej osoby cierpiącej na tę chorobę pojawia się zespół depresyjny, który może prowadzić do samobójstwa. Alkoholik wybiera najbardziej luksusowy rodzaj śmierci. Nie: „ja się zabiję", tylko: „ja się zapiję".

Przerabiałeś to?

Tak. Miałem taki moment, że odciąłem się od świata, co trwało tydzień. Zamknąłem się w mieszkaniu, nie odbierałem telefonu, mój syn razem z moim przyjacielem podnieśli w końcu alarm. Przyjechała straż pożarna, policja, pogotowie, strażak wjeżdżał wysięgnikiem na ósme piętro i usłyszałem: „On żyje".

To była demonstracja czy naprawdę chciałeś nie żyć?

Naprawdę nie chciałem żyć. Tańczyłem na krawędzi. Spędziłem długie godziny na tym balkonie. Co to zresztą za balkon – wybieg metr na metr. Stałem tam, patrzyłem w dół. Chciałem tego wiele razy, ale zawsze się zastanawiałem, czy to boli, bo ósme piętro daje niemal pewność, że to się skończy śmiercią. Bałem się bólu znacznie bardziej niż śmierci.

Wspomniałeś o swoim synu. Rodzina rozsypała ci się gdzieś po drodze...

Rozsypały mi się dwie rodziny. Pierwsza to było młodzieńcze małżeństwo, to drugie rozsypało się nie tylko przez moją chorobę, ale i z tysiąca innych względów. Z tych zgliszcz została mi jedna rzecz, najcenniejsza, z której jestem dumny. To właśnie mój syn. Moja kotwica. On po rozwodzie zrobił rzecz niewyobrażalną. Był wtedy jeszcze niepełnoletni, miał czternaście lat, i postanowił, że będzie mieszkał ze mną. Początkowo myślałem, że on kombinuje, że przy takim tatusiu będzie większy luzik, zero kontroli, ale jemu chodziło o coś innego. Przeszedł przy mnie piekło na ziemi. Opowiadał mi później, jak idąc schodami, koszmarnie się bał, co zastanie w domu, co dziś się będzie działo. Trzymał mnie, kiedy dostałem w domu padaczki. Z piętnastu metrów słyszał syk otwieranej puszki piwa, do dziś zawsze ciarki go przechodzą, gdy w pobliżu ktoś otwiera puszkę. Od dwóch lat mieszka w Londynie, jest menadżerem. Utrzymuje mnie przy życiu. Przysyła mi pieniądze. Sto funtów to czterysta pięćdziesiąt złotych, potrafię wyżyć za to dwa tygodnie. To dużo dla człowieka, który martwi się, gdy jogurt, który kosztował złoty sześćdziesiąt, zaczyna kosztować złoty sześćdziesiąt pięć. Wierzę, że to, co zobaczył mój syn przy swoim głupim ojcu, zadziała jak szczepionka. Że uniknie wszystkich moich błędów.

Ta szczepionka mogła go jednak zabić.

Cholernie się tego bałem.

Nie mogłeś mu wtedy powiedzieć, że doceniasz gest, ale lepiej dla niego będzie, gdy pójdzie własną drogą?

Ale on nie chciał nią iść. Wiem, że wychodzę na wielkiego egoistę, ale ja potrzebowałem go wtedy, bo nie miałem nikogo innego. On uczył się choroby alkoholowej z internetu. Jest specjalistą, wszystko wie, uczył się tego na mnie. I nie odszedł. Nie zostawił mnie, mimo że dla większości pozostałych byłem śmieciem.

Ale to było dziecko. Czy ojciec ma prawo wkładać mu na barki ciężar opieki nad sobą, gdy przestaje radzić sobie z życiem?

Wiesz, ja starałem się, jak umiałem, żeby niczego mu nie brakowało. Przez wiele lat udawało się stworzyć mu takie dzieciństwo, jakiego ja nie miałem. Wspaniałe wakacje, wyjazdy za granicę, wczasy w Bułgarii...

To wszystko nie ma znaczenia, gdy musisz nasłuchiwać, czy ojciec znów nie otwiera puszki z piwem.

Wiem. Ale może to ten dobry bagaż, te dobre emocje, te wcześniejsze rozmowy spowodowały, że on wiedział, że nie jestem menelem, tylko gdzieś się w życiu pogubiłem. I dlatego mnie nie zostawił. To jest moim największym sukcesem. Dziś mówi mi: „Tato, tak mi przykro, że musisz robić to, co robisz". Pomaga mi i nie ma w tym pogardy, mówienia: „masz, czego chciałeś".

Tego całkiem chyba nie unikniesz. Gdy zacząłeś jeździć taksówką, ludzie musieli cię rozpoznawać. Gwiazda telewizji, która teraz musi nosić ich torby i czyścić po nich tapicerkę.

Wiesz, o co pytali najczęściej?

Czy nie kręcisz programu?

Też. To zwłaszcza moi byli szefowie. Inni pasażerowie, którzy mnie rozpoznawali, co rzeczywiście było nagminne, pytali o co innego: „Gdzie są pańscy przyjaciele? Dlaczego pana tak zostawili? Dlaczego pan musi jeździć taksówką?". Trafiłeś, cholera, w sedno z tym pytaniem o taksówkę... To był cholerny ból, wskaźnik, jak nisko zjechałem. Choć obiektywnie jeżdżenie taksówką to przecież wcale fajny zawód. Na początku, gdy jeszcze nie miałem świadomości swojej choroby, nie wiedziałem, dlaczego jestem rano tak strasznie zdołowany. Rano, gdy zaczyna się pracę o czwartej, jest bardzo dużo kursów na lotnisko. Dobre kursy, jeszcze w taryfie nocnej. Długo nie mogłem odkryć, dlaczego po czterech, pięciu takich zleceniach jestem wściekły. Później zrozumiałem, że przecież ja zawsze jeździłem na to lotnisko jako pasażer. Przestałem brać takie kursy. Do dziś widok odlatujących samolotów wpędza mnie w depresję. Przyszedł jednak w końcu taki moment, gdy przestałem rozpamiętywać tamto życie, i nie to, że zapragnąłem żyć od nowa, ja postanowiłem po prostu zawalczyć. O życie takie, jakie mam. Większość ludzi w moim stanie spokojnie odeszłaby, i spokój. Miałem zator płuc, gruźlicę. Nie umarłem. Więc powiedziałem: będę walczył, bo dobry Pan Bóg bierze gęsto z mojej półki, nawet z niższej.

Dlaczego nie wziął ciebie?

Zastanawiałem się nad tym. Może mam coś ważnego do załatwienia w życiu i mam prawo o to życie walczyć. Dopóki nie doświadczysz na sobie, że możesz umrzeć, nie wiesz, że życie to jest skarb. Więc walczę. Profesor Wiktor Osiatyński, którego wielbię, kiedyś mi powiedział: „Na świecie nie ma nic gorszego niż smutny, niezadowolony z życia alkoholik". Bo jeżeli facet, który przestał pić, jest niezadowolony z życia, to jego życie nie ma sensu.

Ale co takiego jest w tym życiu, że mimo wszystko warto żyć? Przepraszam za banał pytania, ale człowiek, który stracił wszystko i postanowił jednak żyć dalej, musi mi na nie odpowiedzieć.

Odpowiedziałem ci już: stwierdziłem, że mam w życiu jeszcze coś ważnego do zrobienia.

I pracujesz w call center.

Pracuję w *call center*, ale gdy wracam do domu, pracuję nad swoim najważniejszym projektem – programem „Pułapki życia". Oczywiście najtrudniejszą i największą pułapką jest w moim odczuciu choroba alkoholowa, która nie zapala pomarańczowego światła. Masz światło zielone, pewnego dnia wstajesz i jest już czerwone. Ogórek jest już kiszony. Profesor Osiatyński napisał kiedyś o tym książkę: *Alkoholizm. Grzech czy choroba?* Ten tytuł to – wyczuwam – jakby sens naszej rozmowy... Osiatyński był w Stanach, dowiedział się tam wiele o tej chorobie, a ja wiem, że powinienem przełożyć to na program – żeby inni nie wpadli w zasadzkę.

Ale to jest praca. A gdyby tak się złożyło, że przez dwadzieścia następnych lat nikt tego programu nie kupi – odkryłeś w sobie coś takiego, co podpowie ci, że warto żyć, dlatego że jesteś Tadeuszem Brosiem?

Już powiedziałem – warto żyć, by mieć takiego syna.

Masz też córkę.

Córka trafiła już na ostry okres mojej choroby i wobec niej bardzo ciężko zawiniłem. Mam cholerne wyrzuty sumienia i nie bardzo wiem, jak to odkręcić. Może przyjdzie czas, że znajdę na to siły. Warto żyć, by tego doczekać. Warto żyć, żeby móc pomóc ludziom. Wiesz, to jest taki zapał neofity – każdy, kto w jakimś stopniu potrafi już radzić sobie z chorobą alkoholową, chce zostać terapeutą. Ale jak ci to minie, dostrzegasz, że jest tysiąc innych sposobów, by pomóc. Choćby tłumacząc innym coś, co za szybko odrzucamy jako banał – ta choroba wpycha cię w błoto, ale jeśli się z niego obmyjesz, zauważysz, że jest wiosna, ludzie, z którymi można zamienić parę słów, że życie to coś więcej niż wegetacja, wtedy odkrywasz na dobre coś, o czym jako wykrzykujący to nastolatek nie mogłeś mieć pojęcia – życie naprawdę jest piękne.

Życie jest piękne, kiedy sprzedajesz ludziom garnki, których nie potrzebują? Gdy nie możesz przebić się przez sekretariaty kolegów, z którymi chcesz się spotkać?

Nie mam o to żalu, choć jest mi przykro. Ale nie obchodzi mnie to, póki mam takie codziennie radości. Gdy odkrywam, że umęczony tą pracą i tym życiem potrafię coś zobaczyć, czegoś posłuchać, gdzieś pójść.

A nie: życie byłoby piękne, gdybym mógł to wszystko zacząć od początku?

Żeby to zrozumieć, musiałbym mieć tę wiedzę, którą mam dzisiaj. Poza tym wiesz – to nie było tak do końca spieprzone życie. Zrobiłem rachunek sumienia. Mogę z czystym sumieniem powiedzieć, że nigdy nikomu nie zrobiłem świństwa.

Chciałbym poddać próbie ognia te proste prawdy, które, jak mówisz, odkryłeś. Sam musiałeś siebie o to pytać: czy to nie autoterapeutyczne piękne bajki?

Na pewno nie. Mam wrażenie, że bardzo głęboko doświadczyłem tego życia, jego złych i dobrych stron. Potrafię zrobić sobie bilans. Wiesz, ja jestem już po tej stronie, z której Pan Bóg ludzi zabiera. Uświadamiam sobie, że nawet jeśli całe życie spędziło się w błocie, mamy jeszcze śmierć – ją można przeżyć godnie.

Masz poczucie winy?

Jedną z najważniejszych rzeczy, jaką uświadamia się osobom, które zmordowane alkoholem przychodzą prosić o pomoc, jest to, że choroba nie jest ich winą. Nie ty tu zawiniłeś, ale tylko ty możesz sobie pomóc.

Trochę chyba jednak zawiniłeś.

Nie.

W każdej chorobie są czynniki ryzyka. Gdy palę, rak płuc jest moją winą.

Z rakiem płuc zgoda, w chorobie alkoholowej jest inaczej.

To wygląda jak odsuwanie od siebie odpowiedzialności.

Wyobraź więc sobie, że nie palisz, odżywiasz się zdrowo, wychodzisz z domu i potrąca cię szalony kierowca.

To inna historia. Fatum, zły los. Odpowiedzialność tego człowieka. Naprawdę masz poczucie, że nie zrobiłeś nic, co by cię pod chorobę alkoholową podprowadziło?

Nie. Ja zacząłem pić wódkę bardzo późno jak na nasze polskie warunki. Do trzydziestki uchodziłem za abstynenta. Byłem gotów przesiedzieć cały bankiet bez kropli czegokolwiek tylko po to, by przejechać się fajnym samochodem kolegi, odwieźć go do domu. Później pojawiły się czynniki społeczno-zawodowe. Zacząłem pracować w telewizji. Jeździliśmy na zdjęcia, pamiętam do dziś – nysami i roburami – i wszyscy koledzy, którzy na Woronicza chodzili jak aniołki, gdy tylko minęliśmy napis „Warszawa", zatrzymywali się w pierwszym GS-ie i w owczym pędzie rzucali się na wódkę. Na początku w to nie wchodziłem, ale później wpisałem się w ten rytuał.

Polska alkoholowa antropologia. Tyle że to brzmi jak kolejna wymówka. Rytuał nie rytuał – życie żeście sobie spieprzyli.

Nie wszyscy. Bo wiesz, że ludzie dzielą się na szlachetnych alkoholików i zwykłych pijaków.

Nie dorabiasz przypadkiem ideologii?

Nie dorabiam. Dowiedziałem się tego od mądrzejszych ode mnie. Znam takie sytuacje ze spotkań AA. Ja opowiadam tam to, co mówię tobie, w pewnym momencie wstaje, dajmy na to, jakiś hydraulik i mówi: „Pieprzysz stary, po prostu pieprzysz głupoty". I ty mi próbujesz powiedzieć, że ja pieprzę głupoty.

Sprawdzam cię.

Ale ja nie pieprzę głupot. Opowiadam ci swoje życie. To, co czuję, jak to widzę. Może powinienem wiedzieć coś więcej, a może to, że nie wiem, jest ceną, jaką płacę za to, że w ogóle przeżyłem.

Gdy to życie dobiegnie końca i poproszą cię, żebyś zrobił z niego rachunek – będziesz mógł powiedzieć, że Tadeusz Broś był dobrym człowiekiem?

Powiedziałem dziś po raz pierwszy w życiu coś, co sprawdziłem na sobie, w pracy, w szpitalu, na tym nieszczęsnym balkonie. Nie wiem, czy to wystarczy do zbawienia, ale nikomu nigdy nie zrobiłem świństwa. Jeśli kogoś skrzywdziłem, to nieumyślnie. A jeśli trudno ci będzie przyjąć moje oświadczenie, że jestem dobrym człowiekiem, przyjmij choć to, że nie jestem człowiekiem złym.

9 lutego 2011 roku

PANIE BOŻE, CO JESZCZE?

[Dominika Roqueplo]

Nazywam się Dominika Roqueplo. Dziewiętnaście lat temu wyszłam za Jana Woźniakowskiego, jestem mamą trójki wspaniałych dzieci. Wiele lat żyliśmy szczęściem dobrej, kochającej się rodziny. Nie chcę pisać testamentów, nie chcę pisać pamiętników. Nie chcę żegnać się z życiem. Nauczyłam się już nie kombinować, żyć tu i teraz. A co będzie? O tym i tak nic mi nie wiadomo.

Jak się pani teraz czuje? Co mówią lekarze?

Tydzień temu robiono mi rezonans, na razie stan jest stabilny.

Stabilny?

Nowotwór jest w miednicy małej, zaatakował kość krzyżową, wchodzi do kręgosłupa, ale w tej chwili chyba się zatrzymał. Dotąd z każdym kolejnym badaniem okazywało się, że idzie dalej i dalej, na razie – nie wiedzieć czemu – nie idzie. Za miesiąc będę miała kolejny rezonans, wtedy zobaczymy.

Miała już pani w życiu momenty, kiedy szła pani do lekarza i słyszała daty – ma pani przed sobą jeszcze tygodnie, miesiące, lata życia.

Tygodnie może nie, ale miesiące – tak. Zdarzało się też, że lekarze mówili, że wszystko będzie okej. Nie wiedzieli, że ten rak będzie tak agresywny. To był nowotwór jelita grubego, myśleli, że łatwy do zoperowania, lekka chemia i przejdzie. Ale później pojawiły się przerzuty, chemie (wcale nie takie lekkie), radioterapia, operacje. To wszystko postępowało.

Gdy po raz pierwszy usłyszała pani tę diagnozę, była już pani mamą niepełnosprawnego syna. Kiedy okazało się, że jest chory?

Kłopoty były już w trakcie porodu. Nie oddychał, więc była cała akcja reanimacyjna, od razu wzięli go do inkubatora, lekarz nie bardzo wiedział, co się dzieje, bo nie było żadnych sygnałów ostrzegawczych. Dopiero gdy dziecko pojawiło się na świecie, okazało się, że nie oddycha. Po reanimacji Iwo dostał udaru, później drugiego. Był w bardzo ciężkim stanie, przez pierwszy miesiąc życia nie reagował na żadne bodźce. Spał.

Z mężem odchodziliście pewnie od zmysłów.

Początkowo żyliśmy jak każda rodzina, mieliśmy normalne troski. Że któryś ze starszych synów się zaziębi, takie zwykłe rzeczy. Każdy się przecież czymś martwi, ale nigdy to nie było tak ogromne wyzwanie jak ciężko chore dziecko, jak ciężar pytania: czy mój syn przeżyje. Nasz syn mógł umrzeć. Jak to powiedzieć Hubertowi i Piotrowi, chłopakom, którzy czekają na rodzeństwo? Mój mąż pytał sam siebie: czy jeśli Iwo ma koszmarnie cierpieć i umrzeć, to czy już nie lepiej, by stało się to teraz... Lekarze nie umieli przewidzieć, co się stanie. Nasz doktor mówił, że syn może nie przeżyć, że może przeżyć i być niepełnosprawny albo że może wyjść z tego bez szwanku.

Wyczerpująca informacja.

Tak, a po tym dodał: „Czy mają państwo jeszcze jakieś pytania?". Miałam jedno: czy mogę go dotknąć? To było dla mnie najistotniejsze. Nie zastanawiałam się nad tym, czy biorąc pod uwagę jego przyszłość, lepiej by było, żeby Iwo odszedł już teraz, czy nie. Skupiłam się na tym, co tu i teraz, co jest. Moja jedyna wątpliwość brzmiała: czy podołam, czy będę umiała być matką niepełnosprawnego dziecka?

A nie pytała pani siebie: dlaczego? Gdy człowiek konfrontuje się z nieszczęściem, myśli: „Dlaczego?". Czy to moja wina? Czy Bóg tak chciał? Co się stało?

Oczywiście, że o to pytałam. Na początku winiłam siebie. Myślałam, że popełniłam błąd w trakcie porodu, że to dlatego, że poprosiłam o znieczulający zastrzyk w kręgosłup. Dwóch starszych synów rodziłam naturalnie, bez żadnych zastrzyków, ale tym razem wszyscy wokół mnie nalegali: zrób to ze znieczuleniem, będzie cudowny poród. Wszyscy mówili tylko o tym cudownym porodzie. To była pierwsza myśl – to moja wina, bo gdybym nie była znieczulona, wiedziałabym, że coś jest nie tak. Później wytłumaczono mi, że jedno nie ma nic wspólnego z drugim. Czy przeszło mi przez głowę, że to jakaś kara? Raczej nie. Przed porodem miałam niesamowite przeżycie. Mój mąż ma niedoszłą chrzestną mamę, która jest zakonnicą, bardzo ją cenię, jest świętą osobą, bardzo chciałam przed porodem zobaczyć się z nią...

Pójść po błogosławieństwo?

Tak. Na do widzenia chciała zostać ze mną sam na sam. Powiedziała mi: „Dominiczko, pamiętaj, cokolwiek się stanie, przyjmij to jako prezent od Pana Boga". Powiedziała to dwa razy.

Natychmiast zacząłbym się bać.

No więc ja też wyszłam stamtąd na miękkich nogach. Dlaczego ona mi mówi takie rzeczy? Przecież urodziłam dwoje dzieci bez kłopotów, czuję się świetnie, robiłam niejedno USG u superspecjalistów, wygląda, że dziecko będzie zdrowe, więc co niby ma się stać? Więc może coś źle zrozumiałam, a może siostra powiedziała to tylko tak, po prostu? Coś się we mnie jednak obudziło, jakaś nuta, której nie było wcześniej. Idąc do samochodu, zadałam sobie w duchu pytanie: a gdyby rzeczywiście coś się stało, czy umiałabym to przyjąć jako prezent od Boga, czy nie? Nie myślałam jednak nad tym wtedy dłużej.

Przypomniałam to sobie, gdy urodziłam Iwa i zabrali go na OIOM, zostałam sama w pokoju. Rozpłakałam się makabrycznie: jaka jestem nieszczęśliwa, zabrali mi dziecko, jak coś takiego mogło się stać?! To była rozpacz w najczystszej postaci. W końcu – myślę, że to była interwencja łaski – dotarło do mnie, że płaczę nad sobą. I że to jest beznadziejne! Moje dziecko leży w szpitalu na Litewskiej, jest umierające, potrzebuje mnie, muszę zebrać siły i być dla niego. Dać mu siłę, a nie lamentować nad swoimi łzami! Wtedy przypomniały mi się właśnie słowa Genowefki, pozwoliły mi wykonać najtrudniejszy i najważniejszy krok, gdy człowieka dotyka nieszczęście – wyjść ponad własny ból. Zobaczyć, że w tym, co się stało, nie chodzi o mnie, że nieszczęście, które mi się przytrafia, to nie koniec drogi i czarna ściana, pod którą mogę tylko wyć i drzeć szaty. Że to początek jakiejś nowej historii. Te słowa zmieniły mi optykę, bo skoro to jest prezent od Boga, coś sensownego musi się dać z tym zrobić. „Boże, jak mam to zrobić, żeby przyjąć to jako prezent? Czy będę umiała, bo na razie nie potrafię?" Nie byłam w stanie tego zrobić od razu, w chwili gdy rodziłam swoje dziecko, tego nie robi się ot tak, ta myśl potrzebuje czasu.

Oraz łaski.

To musiała być sprawa łaski, bo to otrzeźwienie nastąpiło jednak dość szybko. Rodziłam z soboty na niedzielę, całą niedzielę leżałam w szpitalu, a już w poniedziałek zebrałam się w sobie i poszłam do Iwa. Pamiętam, to było niesłychane przeżycie, mistyka w czystej postaci. Najpierw był lekarz i jego trzy ewentualności. Później mój mąż mówiący mi: „Słuchaj, jak wejdziesz do Iwa, zobaczysz, to jest po prostu makabra, on jest cały pokłuty, ma kabelki tu, tam, to wygląda strasznie, nie wiem, jak ty to przeżyjesz, więc nastaw się, to może być ciężki cios". Weszłam i to było dla mnie jak cud: widziałam po prostu śliczne dziecko, takie spokojne... Był w śpiączce, więc spał jak aniołek, miał taki niesamowity kolor... I miałam taką wizję, że to nie jest moje dziecko, tylko że to dziecko Pana Boga i że może będzie mi dane, żeby go wychowywać i się nim zajmować, a może nie. To było dla mnie absolutnie jasne, pewne... To bardzo dziwne mówić takie rzeczy przed kamerą, ale jedyne słowa, jakie miałam wtedy w sobie, patrząc na to dziecko, to były słowa Matki Boskiej: „Oto ja służebnica Pańska, niech mi się stanie według słowa twego"... To było dla mnie niesłychane, bo to było wyznanie mojej wiary, po raz pierwszy w życiu. Zawsze byłam osobą wierzącą, powtarzałam te słowa w kościele, ale co innego powtarzać, a co innego wyznać. I to gdy człowiek zostaje przyciśnięty do muru. Wtedy dotarło do mnie, że moc wiary człowiek może dostrzec, dopiero gdy ją wyzna. Dlatego myślę, że to był moment jakiejś niesłychanej łaski, która na mnie spłynęła.

To, że człowiek wyznaje wiarę, że przyjmuje to, nie oznacza, rzecz jasna, że nie ma łez, że nie ma smutku, bo to jednak jest strasznie trudne. Więc było mnóstwo łez. Były dzieci, które zadawały nam pytania: „Mamo, całą ciążę modliliśmy się o zdrową siostrę, a urodził się brat, i to chory. Co to jest za Pan Bóg, który...".

Jak można na to odpowiedzieć?

Jedyna odpowiedź, jaka przyszła mi do głowy, to że Pan Bóg właśnie jest teraz z nami w tym momencie, w tym cierpieniu.

Konsekwentnie prowadził panią drogą Matki Boskiej, najpierw: „Oto ja służebnica Pańska", później – pod krzyż. Pani własna konfrontacja z cierpieniem i śmiercią.

No tak. Momentami nawet czułam się, jakbym była ukrzyżowana.

Mówiła pani wtedy Panu Bogu: „Może zbastuj już z tymi prezentami"?

Gdy usłyszałam, że mam raka, to było bardzo trudne, naprawdę, ale wtedy też myślałam, że to jakiś kolejny etap, który widocznie muszę przejść... Przekroczyć siebie samą? Nie wiem...

Po co?

Choćby po to, by sprawdzić, czy rzeczywiście jestem niezastąpiona. Bo przecież jestem – jestem potrzebna Iwowi. Świat się zawali, jak mnie nie będzie. A może właśnie nie? Może musiałam tego doświadczyć, żeby zrozumieć, że nie można też monopolizować pomocy cierpiącemu? Czasem trzeba się usunąć, odejść gdzieś i zaufać, że są inni, którzy mogą też tutaj odegrać ważną rolę.

Uczenie życia przez zwiększanie dawki cierpienia? Naprawdę nie miała pani ochoty się zbuntować?

Nie zbuntowałam się. Ani przy Iwie, ani przy mojej diagnozie. Dopiero gdy okazało się, że starszy syn, Hubert, też jest chory, na chwilę się zawahałam: „Dlaczego? Czy to, co już jest, to dla Ciebie mało?".

Jak to się stało?

Hubert miał szesnaście lat. Zachorował na zapalenie płuc, był bardzo słaby, myśleliśmy, że to po prostu okres dojrzewania. Ja wtedy byłam po piątej operacji, w stanie naprawdę makabrycznym, już nie wstawałam z łóżka, nie dałam rady iść nawet do łazienki, odwiedzała mnie pielęgniarka hospicyjna. Było bardzo źle, wszyscy właściwie myśleli już, że to kwestia dni. Lekarka Huberta nie chciała mi powiedzieć, co się dzieje, żeby mnie nie dobijać, ale ją zmusiłam. Do tej pory mówiono, że może Hubert ma mononukleozę. Ale ja miałam mononukleozę w młodości, więc mówię: „Bez przesady. Po co brać Huberta do szpitala w piątek wieczorem?". Znam już szpitale na tyle, by wiedzieć, że w weekendy nic się w nich nie robi. W końcu lekarka „pękła" i mówi: „Pani Dominiko, nie wiemy, może to mononukleoza, ale wygląda na to, że może też być białaczka". To był kolejny cios. I wtedy rzeczywiście sobie pomyślałam: „No, Panie Boże, co jeszcze? Sama nie wiem – dałam już chyba wystarczające świadectwo, że przyjmuję różne trudne rzeczy i jakoś idziemy z tym do przodu...".

Po takim doświadczeniu można nie tylko pytać, ale wręcz stracić wiarę.

Pewnie można, ale cały czas jakaś łaska jest chyba nad nami. Nade mną. Sama się dziwię, że nie straciłam tej wiary. To niesłychane, co się dzieje. Ludzie mi mówią, że jestem taka silna, to musi być coś poza mną.

Pani historia to historia Hioba.

Myślałam o nim. W pewien sposób identyfikuję się z nim.

On do końca nie poznał odpowiedzi na pytanie, dlaczego dobry Bóg pozwolił, żeby nieszczęście tak go przeorało.

Bo może Panu Bogu nie chodzi o to, żeby były happy endy. Dużo ludzi się modli o cuda i każdy by chciał, żeby skończyło się jak w bajce, prawda? Idziemy do sanktuarium i nagle zdrowie, szczęście, wszystko nowe. Niektórzy ludzie podchodzą do wiary w ten sposób, że jak się będziemy modlić, to zaraz Pan Bóg wysłucha i będzie wszystko cudownie. A mnie się wydaje, że Pan Bóg przede wszystkim potrzebuje ludzi, którzy świadczą swoim życiem o Prawdzie, o tym, że On jest. A jak wszystko się dobrze dzieje, to ciężko jest o tym świadczyć. W ogóle się o tym nie myśli.

Trzy osoby chore, dwie zdrowe. Jak zmieniły się relacje w waszej rodzinie? Czy mąż i zdrowy syn nie mówią, że mają po prostu dość?

Szczególnie nasz środkowy syn, ten jedyny zdrowy, poza moim mężem. Na pewno Piotr ma już tego serdecznie dość. Poza tym myślę, że boi się, że on też zachoruje, że to prawo serii i jego nie ominie...

Albo że pani zabraknie.

I że mnie zabraknie. Na pewno się tego boi. To jest dla niego bardzo trudne doświadczenie, ale jednocześnie to niesłychane, jak te choroby nas jako rodzinę scaliły, scementowały.

Przygotowuje pani bliskich na to, że może pani odejść?

Tak. Rozmawiam z nimi bardzo otwarcie. Zawsze, jak mam złe wiadomości, to im wszystko mówię.

Co im pani mówi?

Niektórzy się obruszają, ale ja naprawdę mówię im wszystko. Tak jak ostatnio – że właśnie byłam u doktora, że wiadomości są niepokojące, bo jak rak przerzucił się do kości krzyżowej i do kręgosłupa, lekarze nie byli zbyt entuzjastyczni. Że nie wiadomo, ile mi życia zostało... Powiedziałam to dzieciom, bo mój mąż był wtedy w pracy, rozpłakaliśmy się wszyscy w trójkę. Powiedziałam im, że przecież nie chcę być chora. Nie chcę odchodzić. I jeszcze nie odchodzę. Powiedziałam: „Słuchajcie, póki jeszcze tu jestem, to się musimy trzymać".

O czym pani marzy?

O czym marzę? Na pewno, żeby wyzdrowieć.

Czyli jednak cud?

Żeby Iwo mówił. Żeby Hubert nie chorował.

2 października 2009 roku

Dominika Roqueplo zmarła 30 kwietnia 2010 roku.

NIE CHCĘ TWOJEGO WSPÓŁCZUCIA

[Przemysław Sobieszczuk]

Nazywam się Przemysław Sobieszczuk. Mam trzydzieści trzy lata. Jestem człowiekiem spełnionym. Nie uważam, że cierpienie jest karą. Nie potrafię nawet płakać rano, tak mnie to boli, gdy ściągam tę zakrwawioną koszulkę, po jej ściągnięciu rany krwawią, dopóki się nie założy odpowiedniego opatrunku. Za każdym razem kiedy gdziekolwiek wychodzę, jestem na oczach wszystkich. Staram się nie zwracać na to uwagi, ale zdaję sobie sprawę, jak ludzie się zachowują względem mnie. Jestem dla nich po prostu... ufoludkiem.

Ale co jest w tych ludziach, którzy na ciebie patrzą? Co mają w oczach?

Wydaje mi się, że przede wszystkim ciekawość. Po drugie – rzecz jasna – strach. Strach przed tym, co widzą, a widzą skórę poranioną, ze zmianami, ranami. Odsuwają się fizycznie i psychicznie, żeby broń Boże mnie nie dotknąć, uważają, że w ten sposób się zarażą. Chorobą, może cierpieniem, nie wiem.

To spojrzenie cię boli?

Już nie. Chociaż wciąż czasem jest mi przykro, gdy spotykam kogoś, a on boi się podać mi na powitanie rękę. Zazwyczaj to ja pierwszy ją wtedy wyciągam, żeby przerwać zakłopotanie.

Kiedy wchodziliśmy do studia, też się zawahałem, nie wiedziałem, czy nie sprawię ci bólu...

Większy ból powoduje to, że nie chcesz się ze mną normalnie przywitać. To dla nas bardzo ważne, dotyk jest ważnym znakiem, komunikatem dla drugiego człowieka.

Niechcący, przy najlepszych intencjach, nadwrażliwości, przekonaniu, że skoro jesteś chory, to na wszelki wypadek należy potraktować cię nienormalnie, mogę wyrządzić ci jeszcze większe szkody.

Właśnie. Nie przejmuj się jednak za bardzo, początkowo wszyscy tak reagują.

Bo niewiele o twojej chorobie wiedzą. Nazywa się was „dziećmi Hioba". Na czym polega to schorzenie?

To choroba genetyczna, *epidermolysis bullosa*, pęcherzowe oddzielanie się naskórka. Na całym ciele chorego bez jakichkolwiek przyczyn zewnętrznych powstają pęcherze i rany. Brakuje chromosomu, który w jakiś sposób stabilizowałby tę skórę. Początkowo – skórę. Bo w miarę dojrzewania zmiany pojawiają się również wewnątrz organizmu. W przełyku, w jelitach, w przewodzie słuchowym, powstają pęcherze pod powiekami. To zależy też od typu choroby. Pierwszy jest najlżejszy – kłopotu nie widać tu zupełnie, zmiany pojawiają się tylko w zgięciach pod kolanami, na łokciach. U mnie choroba dotyka całego organizmu. Człowiek staje się uzależniony od kogoś innego. Przede wszystkim dlatego, że traci sprawność rąk – pod wpływem ciągłego powstawania i zabliźniania się ran powstają zrosty palców, później cała dłoń staje się jedną wielką blizną, deformuje się, powstaje coś na kształt kikuta. Żeby można było funkcjonować, niezbędna jest interwencja chirurgiczna. Trzeba to porozcinać, ale to też nie jest prosta sprawa, bo taka interwencja starcza, dajmy na to, na rok, a później znów trzeba to rozcinać i tak dalej, aż się zrobią takie zrosty, że rozcinać już się nie da. Chyba że pacjent wcześniej umrze.

Jak długo się z tym żyje? Kiedy dowiedziałeś się, że jesteś chory, sprawdziłeś pewnie statystyki.

Nie sprawdzałem. To schorzenie dotyka paruset osób w skali kraju, a przeżycie zależy od wielu czynników, od stopnia zaawansowania choroby, od tego, czy pojawią się powikłania; gdy dołącza się nowotwór, zagrożenie radykalnie się zwiększa. Nie wiem więc, ile mam przed sobą, będę żył tyle, na ile pozwoli mi organizm. I przede wszystkim – psychika.

Ona działa bez zarzutu. Jesteś pogodnym człowiekiem. Skończyłeś studia, pracujesz.

Skończyłem politologię. Pracuję w dużym banku w dziale HR-u.

Choroba utrudnia ci pracę?

Mam kłopot z pisaniem długopisem, z ubraniem się, zawiązaniem buta. Przy komputerze pracuję bez problemu.

Przeszkoliłeś kolegów z wiedzy o chorobie?

Sami się chcieli przeszkolić, nie musiałem ich do tego zmuszać. W pracy nie widzę jakichś dziwnych spojrzeń. Jestem traktowany bez taryfy ulgowej.

A współczucie? Pytania: „Mój Boże, czemu go to spotkało?". Skoro nazywa się was „dziećmi Hioba", może jesteście do niego podobni również i w konieczności znoszenia przyjaciół, którzy siedzą i zamiast opatrywać rany, biadolą i filozofują.

Zdarzają się takie sytuacje, ale zazwyczaj robią tak osoby starsze. Takie babcie, które po prostu żałują każdego, kogo dotknie jakikolwiek problem, niekoniecznie zdrowotny. One muszą sobie o tym pogadać, pobiadolić, normalna rzecz. Natomiast jeśli chodzi o osoby młode, zaczynam dostrzegać ważną rzecz – niepełnosprawność jest już u nas inaczej traktowana niż jeszcze kilkanaście lat temu. Bycie osobą niepełnosprawną nie jest już tak stygmatyzujące. To jest naprawdę fajne: dostać od otoczenia komunikat, że ono wie, zdaje sobie sprawę, że twoja inność jest tylko zewnętrzna, że wewnątrz możesz czuć się swobodnie, jesteś w pełni dowartościowany. Popatrz na ulice, dziś jest na nich znacznie więcej osób niepełnosprawnych, nie boją się pokazać.

Kiedyś chory miał siedzieć w domu, bo jak wyjdzie, to jeszcze coś sobie zrobi i będzie większy kłopot.

Znam to z autopsji.

Tylko czy to na pewno jest takie proste? Przecież z drugiej strony ta coraz bardziej otwarta na niepełnosprawność kultura bardzo mocno koncentruje naszą uwagę na ciele, na jego atrakcyjności. Dziś trzeba być przystojnym, pięknie zrobionym. To bardzo osobiste pytanie, ale czy w swoim życiu ten moment masz przepracowany? Czy gdy kobiety na ulicy dziś patrzą na ciebie, czujesz się w pełni facetem?

Żebym się tak poczuł, musi dojść do jakiegoś spotkania, jeśli ktoś mnie już pozna, siedzimy obok siebie, gadamy w cztery oczy, mam szansę pokazać się od środka, wtedy oczywiście dostrzegają we mnie mężczyznę. Który niekoniecznie musi być odbierany przez swój problem skórny. Widzą, że ja myślę, czuję, że mam poczucie humoru. Że jestem normalnym człowiekiem. Tylko żebym zafunkcjonował w czyichś oczach na tym poziomie, musi dojść do spotkania. W tłumie zawsze chyba będę tym innym. Chociaż zastanawiam się czasem – może to tylko moje odczucie? Gdy patrzę na siebie i na swoje rany, sam sobie wydaję się inny, automatycznie wmawiam sobie, że skoro jestem właśnie taki, ludzie muszą patrzeć na mnie jak na coś dziwnego.

Każdego człowieka coś wyróżnia. Mnie na minus odróżnia skóra, to na pewno. Ale czy na plus nie wyróżnia mnie jakoś moje wnętrze, mój tok myślenia, to, co mam w środku do zaoferowania temu światu, ludziom?

Nie wierzę, że twoja żona ci tego nie mówi.

Jasne, że mówi. Asia jest wspaniała. Z jej pierwszego małżeństwa mamy dwójkę dzieci. Mają piętnaście i dziesięć lat.

Jak przyjęły to, że jesteś chory?

Kiedy już zamieszkaliśmy razem, naszym największym problemem było przygotowanie ich na to, co zobaczą, gdy zdejmę oficjalne ubranie. Zakrwawione opatrunki, zakrwawiona koszulka. Ich reakcja mnie zaskoczyła, bo była w sumie nijaka. Nie odczułem żadnego „fuj" albo litości. Bałem się, jak zareagują, co powiedzą... Później się okazało, że tak naprawdę to było trudniejsze dla mnie niż dla nich. One to po prostu przyjęły, bez żadnych zdziwień, ochów i achów, myśli, że co to za poświęcenie. Okej, jest tak, i już.

Chcąc nie chcąc, muszą uczestniczyć w twojej chorobie, pielęgnacja tych ran zajmuje chyba mnóstwo czasu: konieczność zachowania aseptyki, opatrunki...

To prawda. Gdy żona idzie rano do szpitala na dyżur...

Pielęgniarka! A toś się, chłopie, ustawił...

[*śmiech*] Więc gdy Asia idzie do pracy, zazwyczaj to moja piętnastoletnia córka pomaga mi ubrać się, zmienić i zrobić opatrunki. Nie wiem, czy ona czuje, że to jest w jakimś stopniu obowiązek, ale nie robi to na niej większego wrażenia. Po prostu mówię: „Klaudia, potrzebuję pomocy", i ona przychodzi i to robi. Na początku oczywistość tej całej sytuacji to był dla mnie szok.

Mówi do ciebie „tato"?

Tylko gdy czegoś potrzebuje. [*śmiech*]

Nie jest łatwo się ubrać, wyjść z domu, jeść, niektóre osoby z twoją chorobą mają problem ze wzrokiem. Mimo całego wsparcia rodziny nie masz czasem dość?

Szymon, każdy człowiek ma czasami dość. Żeby to poczuć, niekoniecznie musi się być w mojej skórze. Chyba każdy wstaje czasem rano z myślą: „Kurczę, dziś najchętniej bym się gdzieś ukrył, schował, żeby mnie nie było". Ja mam dość wtedy, kiedy przychodzi nasilenie choroby. Poprzedniego dnia było mniej zmian, mniej ran, mogłem się szybciej ubrać i wyjść do pracy, a dziś bolą mnie nogi, tu znów bardzo się sączy, tu coś przeszkadza, trzeba zmienić cały opatrunek na nowy. Boli mnie łydka, tu też odkrywam pęcherz, który trzeba przebić. Wtedy mam dość. Nie wytrzymuję nerwowo. Najchętniej wszystkich wyrzuciłbym z domu, żeby dali mi święty spokój. Jestem chory, mam prawo, nikt nie zrozumie, przez co przechodzę, chcę cierpieć w samotności. Tyle że ja już wiem, że to jest ten moment, gdy zaczyna się równia pochyła. Jeśli pójdziesz jeszcze choćby krok tą drogą, choroba, która wykańcza cię fizycznie, siądzie ci na psychikę. Zostaniesz sam. I błyskawicznie zwiędniesz. Więc czasem – przyznaję – wyładowuję się psychicznie na własnych domownikach, ale zawsze do nich psychicznie wracam, oni to dobrze rozumieją, że takie jest po prostu życie. Moje nie jest inne gatunkowo, ono po prostu jest trochę bardziej skomplikowane. Trochę częściej mnie boli.

Boli chyba cholernie. Przecież w skórze są zakończenia nerwowe, nie wiesz chyba, co to dzień bez bólu.

Ale ja na to inaczej patrzę. Mam takie dni, gdy mogę po prostu bezproblemowo, co nie znaczy bez bólu, wstać z łóżka, automatycznie wstaję i świetnie się z tym czuję. A bywa i tak, że jestem w stanie zwlec się dopiero po kwadransie. Więc jak wstanę z łóżka bez kłopotu, to dla mnie już jest tak, jakbym nie czuł bólu. Ból jest dla mnie stanem naturalnym, martwię się więc tylko wtedy, gdy zaczyna być go wyraźnie za dużo.

Z fizyczną stroną tej choroby jakoś sobie radzisz, a mnie cały czas wraca do głowy pytanie o psyche. Twoja choroba jest niezwykle rzadka – walcząc z porannym bólem, który nie pozwala ci wstać z łóżka, nie zadajesz sobie czasem pytania, dlaczego to właśnie ciebie musiał spotkać ten zaszczyt?

Kiedy byłem dzieckiem, pytałem nieraz. Szczególnie w szkole, gdzie rówieśnicy izolowali mnie od własnej grupy. Wtedy pytasz: „Dlaczego jestem inny? Dlaczego akurat mnie to spotkało? Dlaczego nie mogę być superplayboyem, supergościem, który chodzi na każdą imprezę do kumpla lub kumpeli?". Ale później przyszło takie wewnętrzne poczucie, że nie mogę sam sobie robić takiej krzywdy, dręczyć się takimi pytaniami, bo skoro jestem, to widocznie mam coś do powiedzenia na tym świecie. Nawet jeśli w tej chwili nie jestem w stanie określić co. Druga sprawa: gdybym brał za każdym razem na poważnie każdą głupią sytuację, każdą głupią myśl, która lęgnie mi się w czaszce, to nie wytrzymałbym psychicznie. Chory człowiek wykształca mechanizm obronny. Psychika zaczyna sama identyfikować, czym się warto przejmować, co jest ważne, a co nie, bo inaczej za dużo energii to kosztuje i dążymy do autodestrukcji.

Co jest ważne?

Życie jest ważne. Takie, jakie jest, a nie, jakie wydaje się nam, że mogłoby być. Karmienie się złudzeniami to toksyczna sprawa. Po drugie: trzeba wiedzieć, do czego chce się dążyć. Ty mnie pytasz, czy dostrzegam coś innego w życiu. Nie wiem. Ja po prostu chcę być szczęśliwy, doświadczyć wszystkiego. Szczęścia niebycia samotnym, spełnienia, stworzenia rodziny, bycia w miejscach, w których bym chciał być, wyjechania w daleką podróż, nie samemu, tylko razem z moimi bliskimi, zapewnienia im stabilnego życia. Widzę świat pewnie dokładnie tak, jak ty go widzisz. Najważniejsze jest szczęście i bycie sobą w tym całym bałaganie.

Czego ci można w takim razie życzyć? Zdrowia?

Wytrwałości, siły. Siły w tym, żeby każdy dzień w sumie można było pokonać. Bo dla mnie każdy dzień to jednak walka.

Hiob miał moment, że prawie na dobre się załamał.

Gdybym się załamał, nie byłbym człowiekiem, jakim mówisz, że jestem. Nie osiągnąłbym tego, co osiągnąłem do tej pory. Najważniejsze to starać się żyć tak, żeby nikt ci nie współczuł, bo jak ktoś ci współczuje, to sam zaczynasz sobie współczuć, wyobcowujesz się, tracisz kontakt z tym, co dzieje się naokoło. Innemu człowiekowi, nieważne, czy on jest chory, niepełnosprawny, czy załamany po stracie bliskich osób, nie można z miejsca okazywać współczucia. Jeśli pochopnie to zrobisz, ten człowiek zaraz się załamie.

1 grudnia 2010 roku

SPIESZĘ SIĘ DO NIEGO

[Marta Zwierżańska]

Mam na imię Marta i jestem mamą Bartka, ratownika TOPR-u, który zginął pod Szpiglasową Przełęczą, ratując zaginionych w górach ludzi. Tak jak istniały cudowne uzdrowienia, cudowne ocalenia, jest i cudowna śmierć. Wierzę Panu Bogu. Po prostu Mu ufam. Choć zostałam z rozdartym, nie do zszycia sercem.

Czas później leczy takie serca.

Mojego nie wyleczy. Ale ono i tak jest pełne nadziei, miłości. I pełne szczęścia, bo takie chcę ofiarować Bartkowi. Moja miłość do Bartka jest tak wielka, że chcę, żeby był szczęśliwy w każdych okolicznościach swojego życia. Nawet tam.

On może by chciał, żeby to pani była teraz szczęśliwa.

Żyję jego niebieskim szczęściem. I w związku z tym jestem szczęśliwa, ale moje serce zostaje rozdarte i boleśnie zranione. Niemożliwe, żeby to się zmieniło.

Dlaczego?

Serce matki nie umie się zabliźnić.

Pani Marto, ale on już jest po tamtej stronie, pani ma swoje życie tutaj.

Nie. Ja mam tylko życie z nim. I tak bardzo chciałabym, żeby tak zostało. Nie zabieram mu, broń Boże, jego życia niebieskiego. Absolutnie. Nawet staram się nie płakać, bardzo staram się być dzielna. Mam jeszcze mnóstwo spraw do załatwienia tu, na ziemi, ale robię to właśnie dla Bartka, właśnie dlatego, żeby był ze mnie dumny, żeby nie musiał się o mnie martwić.

Ale może on już chce iść w swoją stronę, a pani cały czas nie chce go puścić.

Ale on poszedł w swoją stronę, ja go nie trzymam. Poszedł, ja wiem. Serce matki wie. Matka wie.

Co wie?

Wie wszystko o swoim dziecku. To łaska, za którą jestem wdzięczna Panu Bogu. Tylko on mógł mi to dać, nie mam wątpliwości.

Czy Bartek był kimś, kogo określa się mianem synka mamusi?

Nigdy w życiu! Nie pozwoliłabym sobie na to!

Wychowywała go pani sama?

Sama.

I nie był synkiem mamusi?

Nie. Wie pan – są różne style wychowania. Bartek miał pełną wolność. Gdy wychodził z domu, zawsze mówił mi dokąd, o której wróci – i zawsze o tej porze wracał – nie dlatego, że go zmuszałam, ale dlatego, że nie chciał, żebym się martwiła.

Pamięta pani tamten dzień?

Nie podoba mi się to pytanie. Jest zbyt przeszywające. Ale odpowiem, że nie bardzo. To był jeden wielki szok. W którym pozostaję tak naprawdę do dzisiaj.

Nie miała pani wcześniej ochoty zabronić mu niebezpiecznych zajęć?

Miałam, tym bardziej że on bardzo dużo się wspinał. Poświęcił temu życie, był w tym znakomity. Ma na swoim koncie mnóstwo nowych dróg w Tatrach. Bardzo kochał te góry. Kochał zimę.

Często wspinał się w zimie, a ja oczywiście przy okazji każdego jego wyjścia drżałam, mdlałam, niecierpliwie czekałam, wychodziłam naprzeciw, czasem koczowałam pod ścianą...

Nadopiekuńcza matka?

Nie. Myślę, że może to tak wygląda, ale ja powiedziałabym raczej: „mądrze dozorująca". Uspokajająca siebie i jego.

Nie miał do pani żalu, że oto wspina się z kolegami, schodzą ze ściany, a na Bartka czeka na dole mamusia?

Nie. Zacznijmy od tego, że ja też się wspinałam. Więc albo wspinaliśmy się razem, albo robiliśmy sobie wspólne wypady w góry, obieraliśmy dwie zupełnie inne drogi i spotykaliśmy się później gdzieś na dole. Telefony komórkowe nie były jeszcze tak rozpowszechnione, więc gdy mijała ustalona „godzina zero", jedno drugiemu wychodziło naprzeciw.

O Bartku, o jego wspinaniu, o ratownictwie opowiada pani z wielką pasją.

Bo góry to też moja wielka pasja. W zasadzie odkąd tylko mogłam samodzielnie kojarzyć świat, życie łączy mi się z górami. Bartek musiał dostać to w genach, nie było innej opcji.

Jest coś jeszcze. Odnoszę wrażenie – bez podtekstów – że opowiada pani o nim jak o mężczyźnie swojego życia.

Bo tak było. Taka jest prawda. Bartek jest dla mnie wszystkim. Ja niczego mu nie odbieram, nie ujmuję, wręcz przeciwnie! Zawsze wszystko chciałam mu dać i chyba mi się udawało. Jednym z moich – tak to ujmę – tragicznych odcieni szczęścia, bo w tej tragedii odnajduję rodzaj szczęścia, jest to, że mam spokojne serce, że Bartek odszedł spełniony i szczęśliwy. Dostał wszystko, o czym marzył. Ostatnią rzeczą, o jakiej marzył, był dom, nasz dom, w którym chciał mnie widzieć, chciał, żebym była, pomimo że miał dziewczynę, która później została jego narzeczoną... Ona doszlusowała do nas, dołączyła w pełni, jest z nami cały czas, do tej pory.

Z wami?

Z nami, tak.

Mieszka z panią?

Mieszkamy razem z Marysią. Czy to nie cudowne?

Rozpamiętujecie przeszłość? Minęło już prawie dziesięć lat.

Nie. Absolutnie. Żyjemy teraźniejszością, jak najbardziej. A Bartek jest z nami i bardzo się o nas troszczy, pilnuje nas obu, pomaga na każdym kroku. Mamy tego dowody.

Jakie dowody?

Realizują się nasze plany, to, o co walczymy, o co zabiegamy, o co się staramy, czego same z siebie nie umiałybyśmy pewnie osiągnąć. Każda szansa, jaka przed nami staje, zakwita...

Pani Marto...

... w sposób niewiarygodny, nieprawdopodobny.

... czy nie dopuszczała pani jednak myśli, że to jest sposób przeżycia żałoby, sposób na to, by zaklinać stratę, z którą nie można się pogodzić? Może to strategia obronna: żyć w cieniu syna, który odszedł, mówiąc: ale przecież on nigdzie nie odszedł, on tu jest.

Nie, to z pewnością nie jest sposób na przeżywanie żałoby, bo ja nie przeżywam żałoby. Po pierwsze dlatego, że od dnia, w którym urodziłam Bartka – odkrywam teraz przed panem najgłębszą tajemnicę swego ducha – do dziś codziennie modlę się o to, żeby Bartek mógł być dzieckiem Pana Boga. Być dla Niego. Żyć dla Niego. Żył dla Niego przez dwadzieścia pięć lat tu, na ziemi, i mam głęboką nadzieję, a w tej chwili jestem wręcz przekonana, że żyje dla Pana Boga już po tamtej stronie. Wniosę małą poprawkę do tego, co pan powiedział wcześniej. Jestem przekonana, że długo byłam kobietą jego życia. Ale w postaci mamy.

Dorosły facet nie może mieć kobiety życia w postaci swojej własnej matki.

Tak, ale Bartek miał oprócz kobiety życia w postaci swojej matki drugą kobietę swojego życia w postaci narzeczonej.

Miał dwie kobiety swojego życia?

Bardzo mu z tym było miło i wygodnie. [*śmiech*]

Czyli chłopak się po prostu ustawił... W cudzysłowie, z uśmiechem...

To myśmy z Marysią go ustawiły. On był za delikatny. On jest za delikatny. On nigdy by nas egoistycznie nie wykorzystał.

Pani Marto, od którejkolwiek strony bym się zabierał do tej rozmowy...

Mówiłam, że będzie to sprawa zagmatwana... [*śmiech*]

To wszystko jest niejednoznaczne. Początkowo myślę sobie: nie, to co mi tu mówi pani Marta, zdecydowanie nie jest normalne...

Bo pan nie jest matką...

Patrzę na coś, czego nie rozumiem. Od dziesięciu lat on jest w waszym życiu, choć go tutaj nie ma...

Ale proszę pana, on będzie do końca życia.

... i myślę...

Na wieki wieków, amen!

... i kombinuję...

I koniec!

... że pani podświadomie ucieka do przodu...

Tak, spieszy mi się. To prawda.

... nie chce żyć swoim życiem, bo...

Do kolan jestem na ziemi, od kolan już mnie nie ma.

Pani Marto, dlaczego pani tak nie lubi swojego życia samego w sobie?! Matka, która nie odpępowiła się od syna!

Nie odpępowiliśmy się oboje od Pana Boga.

Ale co Pan Bóg ma do tego?!

Wszystko!

On stworzył panią osobno i jego osobno. Każde z was ma swoje życie.

Ale czemu się pan uparł, by mi tu zrobić terapię, podczas gdy ja jej nie potrzebuję? Czemu pan nie rozumie, że są na tej ziemi istoty, które dostrzegają interwencję Boską bezpośrednio?

Ale ja to wiem!

I ulegają jej... Mało tego! Chcą ulegać! Przyjmują...

Ale co to ma wspólnego z wami?!

Wszystko! Wszystko, bo od tej chwili to życie podporządkowane jest w pewnym sensie, z mojej własnej woli, Panu Bogu. I w związku z tym po co mam tutaj długo chodzić po tej ziemi? Dlatego spieszy mi się tam... Nawet zazdroszczę Bartkowi!

Czyli to, co wam się przytrafiło, odczytuje pani jako projekt przedstawiony wam przez Pana Boga, na który wyście się zgodzili, ofiarując Mu swoje życie?

Można to tak zinterpretować. Choć z duchowym realizmem. Nie pcham się na siłę do kanonu świętych. [*śmiech*] Naprawdę, jestem zbyt maleńka.

A jeśli pani to wszystko Panu Bogu wmówiła?

Nie sądzę. Szukałam Pana Boga, chciałam Go znaleźć i znalazłam. A że miał dla mnie taki projekt... Każdy ma swój. Każdy może starać się znaleźć Boga. Jeśli będzie tego bardzo chciał, znajdzie Go i dowie się, jaką propozycję Bóg ma dla niego.

Nie miała pani ochoty zbuntować się przeciw tym pomysłom? Powiedzieć: nie zgadzam się, zabrałeś mi wszystko?

Nie. Nie buntowałam się. Wprawdzie zadałam Panu Bogu pytanie, dwukrotnie: czy na pewno wie, co zrobił. I komu. Panie Szymonie, nie możemy rozmawiać tutaj o wszystkim. Za moją osobą, za moją tragedią kryje się cały mój życiorys i nasz wspólny – mój i mego syna – bardzo smutny życiorys. Mieliśmy dużo czasu, żeby znaleźć Pana Boga i żeby Pan Bóg pozwolił nam siebie znaleźć... Ta rozmowa nie dotyczy tylko śmierci Bartka i mojej tragedii jako matki jedynego, utraconego dziecka. To ma wymiar, który sięga do samego początku mojego istnienia, później Bartka. Na pewno pan się spotkał – nie mam co do tego wątpliwości – z osobami, u których na skutek tragedii czy różnych innych zdarzeń, niekoniecznie tragicznych, dokonała się jakaś metamorfoza wewnętrzna, prawda? Coś w sobie poodkrywali, coś wokół siebie odkryli nowego? Coś nad sobą odkryli...

A coś sobie opowiedzieli, żeby ich nie bolało. Co jest zupełnie zrozumiałe.

Może są i tacy... Ale ja sobie nie opowiadam, ponieważ nie lubię się oszukiwać. Dlatego jestem spokojna o samą siebie.

Albo siedzi przede mną kobieta, która tłumaczy sobie i światu, że radzi sobie ze stratą, z którą sobie nie radzi...

Nie zgadzam się z tym i sprzeciwiam się stanowczo. Nie ma pan racji.

... albo rozumie więcej. Wie coś, czego ja nie wiem.

O, nareszcie. [*śmiech*] Przychylam się do tej teorii.

4 marca 2010 roku

ODPROWADZAM WSZYSTKIE MOJE DZIECI

[o. Filip Buczyński]

Nazywam się Filip Buczyński, jestem franciszkaninem. Byłem przy bardzo wielu śmierciach. Ostatnią rzeczą, którą dziecko bierze do nieba, jest uśmiech matki. Mamie dziecko nigdy tego nie powie, mnie może: „Wie ojciec co? Boję się umierać...”.

Kto to ojcu powiedział?

Czternastoletni pacjent, który dwanaście lat spędził na walce z nowotworem. Gdy go poznałem, miał dwa lata. Pracowałem jako wolontariusz na hematologii i byłem świadkiem, jak rozpoczyna swoją walkę, swoje leczenie. Po dwunastu latach, gdy już prowadziłem hospicjum, rozpoznała mnie jego mama.

Co można powiedzieć nastolatkowi, który uświadamia sobie, że nie zdąży być dorosły?

Jeśli oczekuje się ode mnie słów, najczęściej próbuję moim podopiecznym tłumaczyć, że przyszłość jest hipotezą. To coś, co może się wydarzyć, rzecz na poziomie naszych marzeń lub planów. Ale realnie jesteśmy wyłącznie tu i teraz. I im bardziej żyjemy tu i teraz, im bardziej angażujemy się w coś, co faktycznie możemy realizować, tym większe będzie nasze poczucie satysfakcji i radości.

Ale dlaczego to ma trwać tak krótko? Nie zadaje sobie ojciec takich pytań?

Zadaję. Ale nie mam odpowiedzi. W ciągu ostatnich dwóch tygodni umarło mi dziecko, które miało osiem i pół roku, kolejny maluch miał tylko sześć tygodni, po nim pięciomiesięczny niemowlak. Bywa, że przychodzi do nas nawet ktoś, kto mimo choroby poszedł na przykład na studia. Podejmuje ten trud życia tu i teraz, realizowania marzeń, które są tu i teraz do zrealizowania. I również odchodzi. Moim zadaniem jest pomóc mu, by do ostatniej chwili widział w swoim życiu sens, by się nim cieszył. Niech mnie pan nie pyta, czy w śmierci jest sens.

Młodzi ludzie patrzą na nią chyba inaczej niż dorośli. Zawstydzają nas dojrzałym spojrzeniem.

Zdecydowanie tak. Mam porównanie, bo czasem jestem proszony, żeby porozmawiać z kimś starszym w szpitalu, w domu czy w hospicjum. Od razu czuję, że rozmowa z dzieckiem jest inna. Przede wszystkim dlatego, że dziecko zaczyna myśleć abstrakcyjnie około dziesiątego, jedenastego roku życia, do tego czasu jest na poziomie myślenia konkretnego. Gdy jest młodsze, osoby znaczące, te, które dziecko kochają, są blisko, które mówią mu prawdę, powinny wyjaśnić mu bardzo konkretnie, co będzie się działo. To ważne, żeby to były właśnie takie osoby, które dają miłość, bo to obniża w dziecku poziom lęku, niepokoju. Małe dziecko przyjmuje tę wersję, którą przekaże mu mama, im dziecko starsze, tym bardziej do tej rozmowy włączam się ja. W wypadku maluchów rozmawiam z rodzicami, przygotowuję ich do przekazania dziecku najważniejszych spraw.

Czego? Komunikatu: „Słuchaj, najpierw cię będzie bolało, a później umrzesz"?

Żeby nie generować metadyskusji i nie teoretyzować, powiem panu o mojej ostatniej rozmowie. Spotkałem się z chłopcem, który ma czternaście lat i wkrótce umrze. Obok siedzieli mama, tata, brat. I rozmawiałem z Mateuszem o tym, co zdarzyło się dosłownie kilka dni wcześniej. Miał poważne kłopoty z oddychaniem. Jego choroba postępuje, następuje zanik mięśni, czyli umiera się albo z powodu niewydolności krążenia, albo człowiek się dusi. Byłem przy tym kryzysie. Mateusz nie czuł bólu, stracił świadomość, nie bał się. I kiedy po chwili płuca znowu zaczęły pracować, zaczęliśmy rozmawiać o tym, czego się wcześniej bał i jak to się ma do tego, czego teraz doświadczył. Obok siedzieli rodzice i rozmawialiśmy o mechanizmie odchodzenia. Rodzice najczęściej boją się bólu, który dotknie ich dzieci w czasie odchodzenia, ale tu gadaliśmy z Mateuszem o tym, że jeśli w pewnym momencie spada saturacja, wysycenie krwi tlenem, kiedy traci się oddech, bardzo szybko następuje utrata świadomości i zapada się w jakąś inną rzeczywistość, gdzie nie ma bólu i cierpienia, jest tajemnica. I o tej tajemnicy mogę z nim i z rodzicami rozmawiać. W przypadku Mateusza był jeszcze jeden czynnik, bardzo często spotykany. Pacjent dużo bardziej się boi tego, jak sobie poradzi rodzina po jego odejściu, niż tego, jak sam będzie odchodził. Budzi się w nim taka pełna troski odpowiedzialność: jak sobie poradzicie, gdy mnie już nie będzie? Będzie wam pewnie strasznie ciężko. Do rozmowy włączyli się wtedy mama i tato Mateusza, mówili: „Słuchaj, synku, jak już stąd odejdziesz, oczywiście będziemy płakali, oczywiście będzie nam ciężko, oczywiście będziemy tęsknili i będziemy odwiedzali to ubranie, twoje ciało, które będzie na cmentarzu, ale będziemy też z tobą rozmawiali, bo wierzymy, że będziesz w niebie i kiedyś wyjdziesz po nas, my tam do ciebie pójdziemy".

Spotkał ojciec dzieci, które mówią: „Tam nic nie ma"?

Nie.

Pamiętam, że przez kilka miesięcy nie umiałem pozbierać swojej wiary po wizycie w kaplicy szpitala dziecięcego w Prokocimiu. Trwało wystawienie Najświętszego Sakramentu. Przed Bogiem klęczały dzieci bez nóżki, bez rączki, z wenflonami i prosiły Go o zdrowie, a ja wiedziałem, że prośby niektórych z nich, pewnie większości, nie zostaną spełnione.

Pewnie tak.

Co to za Bóg, który nie spełnia takiej prośby?

Słyszę takie pytania. Podobnie często jak: „Dlaczego to właśnie moje dziecko zachorowało?". Odpowiadając, możemy tworzyć różne koncepcje. Jedna z nich, zupełnie skrajna, głosi, że choroba jest karą. Że Bóg karze za grzechy, a w swojej perfidii – karze dziecko za grzechy rodziców, bo przecież ono samo nie zdążyło jeszcze nagrzeszyć. Na przeciwległym końcu skali jest odpowiedź, że choroba jest uczestniczeniem w Boskiej tajemnicy współzbawiania świata. Jeśli niezawinione cierpienie dziecka odniesiemy do niezawinionego cierpienia Chrystusa, a Chrystusowe cierpienie miało wymiar zbawczy, to ci, którzy cierpią w niezawiniony sposób, mogą włączyć się w Jego dzieło, razem z Nim zbawiać ten świat.

Chrystus był dorosły, wiedział, co robi. Dziecko, które zapada na nowotwór, nie może zdecydować: „Chcę uczestniczyć w dziele współodkupiania świata".

Wie pan, dla mnie to też jest tajemnica, bo trudno jest wytłumaczyć to wszystko tylko z perspektywy doczesności, czasu agonii czy bólu i cierpienia. Byłem też przy takich przypadkach umierania, gdy dzieci – mimo ogromu niewinnego bólu – przedzierały się przez granicę śmierci z uśmiechem na twarzy. Na ich twarzy zostawał uśmiech, dla nas rozpoczynał się ból.

Czy odkąd zaczął ojciec pracować w hospicjum, ma ojciec więcej pytań do Boga? Jak się ojciec modli?

Nauczyłem się pokory w rozmowie z Panem Bogiem. Zwłaszcza po takich sytuacjach, gdy stosując się do zaleceń Ewangelii, „prosiłem, bo będzie mi dane". Kiedyś na hematologii umierało znajome dziecko, zacząłem posty i modlitwy, prosząc o zdrowie dla niego. Mówiłem: „Panie Boże, krótka piłka: powiedziałeś, jest w tym moc i ja to robię". Dziecko jest w ciężkim stanie, ja się o to zdrowie modlę z głęboką wiarą i przekonaniem: „Panie Boże, niech Twoje słowo spełni się w tajemnicy życia tego dziecka". Następnego dnia lekarka dzwoni do mnie: „Słuchaj, Filip, to niesamowite, wyniki się tak polepszyły... Chyba ten wczorajszy dzień, ta modlitwa wyprosiła jakąś zmianę, cud, łaskę". Przyjechałem do szpitala, zobaczyłem: to prawda, jest niebywała poprawa, dzieciak czuje się lepiej, parametry niemal znakomite. Następnego dnia dziecko zmarło. Poszedłem przed Pana Boga: „Panie Boże, no to jak to? Jak to jest? Proście, a będzie wam dane?".

No właśnie.

W takich sytuacjach człowiek staje przed ścianą i jeśli chce iść dalej, musi przyjąć inną perspektywę. Uruchomić inne wartości. Przywykliśmy do kontaktowania się ze światem na poziomie zmysłów, doczesności, jednak znacznie więcej możemy się dowiedzieć, patrząc z szerszej perspektywy. Zauważając, że świat to nie jest tylko to, czego możemy dotknąć, że dzieci, które opowiadały nam coś tutaj, również po tamtej stronie dają nam różne znaki, sygnały. Więc ja też do nich mówię, przeskakujemy nad śmiercią. Modlę się do nich i dostaję tyle pomocy i wsparcia w sytuacjach, wydawałoby się, beznadziejnych. Życie w pełni to świadomość, że są dwa uzupełniające się wymiary. Kiedy w tym, co ludzkie, nie jestem już w stanie zrobić nic, idę wtedy na grób Izy, która miała pięć i pół roku, umierała z wielkim guzem, który wychodził oczodołem, siadam i mówię: „Izuniu kochana i wy, wszystkie dzieci i młodzieży droga, jesteście już w niebie, więc pomóżcie mi, potrzebuję waszej pomocy". I dzieją się cuda, których po ludzku wyjaśnić się nie da.

Mówiliśmy o dzieciach. Ci, którzy zostają, nie tracą czasem wiary?

Bywa. Jeden z moich kolegów, Lucek Szczepaniak, kapelan z Prokocimia, opowiadał mi, jak wszedł na salę chwilę po śmierci dziecka. Jego ojciec podbiegł do ściany, ściągnął drewniany krzyż i rozłupał księdzu ten krzyż na głowie.

Nie dziwię mu się.

Ja też. Bo wiem, że wcześniej ten ojciec – w najlepszej intencji – targował się z Panem Bogiem: „Panie Boże, my coś zmienimy w swoim życiu, a Ty nam w zamian dasz zdrowie dziecka". Pan Bóg tak nie działa. Choć to naturalny odruch człowieka – stara się coś zrobić, jakoś działać. Rodzicom, którzy zostają, jest ciężko również dlatego, że wraz ze śmiercią dziecka nie ma już co robić, dziecko ustalało rozkład i plan dnia, opieki, miłości, bliskości, czułości, pielęgnacji, obecności. Wraz ze śmiercią dziecka umiera jakaś część naszego życia.

Jak można wtedy iść do kościoła, śpiewać, że Bóg jest miłością?

Trzeba by o to zapytać tych rodziców, którzy mimo wszystko tak właśnie śpiewają. Wcale nie tak rzadko bywa, że otrzymują zwrotnie na poziomie duchowym silne doświadczenie – rodzaj przekonania, że to dziecko spełniło coś, co było zaplanowane dla jego życia, zrealizowało jakąś misję, i że dało też znać, że jest mu tam dobrze i jest szczęśliwe.

Zdarza się ojcu płakać?

Nieraz. Kiedy jestem przy pożegnaniu z dzieckiem, towarzyszę rodzicom. Kiedy śmierć była pierwsza, zdążyła przede mną, i tak staram się pożegnać z dzieckiem. Czasem kiedy jestem na cmentarzu, wraz z rodzicami. Staram się wszystkie moje dzieci odprowadzić, podziękować, bo to dla mnie też jest zaszczyt i wyróżnienie, że mogłem te dzieci znać i że mogłem choć odrobinę pomóc. Boże mój, nas, facetów, za bardzo nie uczono płakać. Natomiast ja się z tym nie kryję, dla mnie to jest oczywiste. Jeżeli doświadczam smutku, żalu, bezradności, poczucia niesprawiedliwości, bo przecież to dzieci mają chować rodziców, nie na odwrót – jasne, że płaczę. Pan Jezus nad grobem Łazarza też płakał.

A Łazarz, przez Niego wskrzeszony, i tak umarł jeszcze raz.

Właśnie. Nic więc dziwnego, że to, co w nas ludzkie, płacze. A to, co Boże, ma nadzieję na spotkanie.

Kiedy już ojciec spotka się z Bogiem twarzą w twarz...

Będę w stanie zrozumieć dlaczego.

27 października 2009 roku

CIAŁO TO TYLKO GARNITUR

[prof. Jerzy Gielecki]

Nazywam się Jerzy Gielecki. Jestem lekarzem, anatomem, radiologiem, nauczycielem, chcę myśleć, że jestem też po trosze filozofem. Szczerze mówiąc, nie widziałem ani jednego amerykańskiego filmu, w którym w prosektorium nie zjadano by kanapek.

Doktor House przychodzi do prosektorium głównie po to, by pooglądać seriale medyczne, jedząc kanapki, które przechowuje w lodówkach na zwłoki.

Sporo ryzykuje... Wie pan, pamiętam, jak na pierwszym roku medycyny uczyłem się do egzaminu na prawdziwych kościach. W tym wypadku to był chyba obojczyk... Pierwszy raz w życiu uczyłem się po drugiej w nocy, wiadomo, że student medycyny na pierwszym roku śpi krótko i bardzo efektywnie. Byłem strasznie zmęczony i głodny, sięgnąłem po kanapkę i udko kurczaka... No więc chodzi o to, że to właśnie nie było to udko...

A tak zupełnie na poważnie – doktor House nie jest z mojej bajki.

Może nie ma się co oburzać – kto nie żyje, ten leży, kto żyw, musi kiedyś zjeść kanapkę.

W filmach sprawa jest prosta. Zły charakter musi mieć ciemne włosy, dobry – białe, a jeśli są zwłoki i prosektorium, ten, kto robi sekcję, musi jeść kanapki. Dlaczego? By odebrać grozę śmierci, nie przeżywać tak śmierci ofiary. Nie rozpaczać, rozładować złe napięcie na tyle, by widz był w stanie nadal śledzić wątek.

Tyle że człowiek przeciw takiemu odreagowaniu się buntuje. Gdy słyszymy opowieści o techniku, który rozwiązuje w pracy krzyżówki lub podlewa kwiatki, coś nam nie gra. Co wolno, gdy staje się przy ludzkich zwłokach?

Nasze zachowanie podlega ścisłym zasadom, normy są narzucone. Sposób, w jaki podchodzimy do zwłok, wymusza też cel badania: trzeba odróżnić naszą pracę ze zwłokami w Zakładzie Anatomii Prawidłowej, gdzie studenci się uczą, a lekarze przygotowują do operacji, od sekcji patomorfologicznych czy sądowych, bo to są zupełnie inne przestrzenie medycyny. My preparujemy zwłoki, które są praktycznie sterylne, więc można ich dotykać nawet gołymi rękami. Sekcje sądowe czy patomorfologiczne są obarczone wymaganiami epidemiologicznymi, ten człowiek umarł, bo miał na przykład zakażenie, a my musimy teraz znaleźć jego źródło. To są dwa różne systemy podejścia z punktu widzenia osoby, która przeprowadza sekcję.

Ale mnie chodzi raczej o nastawienie wewnętrzne. Pamiętam moment, gdy sam po raz pierwszy stanąłem nad ludzkimi zwłokami. Zastanawiałem się, dlaczego to mnie tak porusza. Mam dwie odpowiedzi: bezruch i zimno. Żywe ciało to ciepło i ruch. Gdy jest ciało, ale tych dwóch czynników nie ma – zawieszamy się, nie wiemy, jak taką sytuację obsłużyć. Jak było w pana wypadku?

Miałem fantastycznych nauczycieli anatomii i oni sensownie zaplanowali to moje pierwsze spotkanie ze śmiercią. Ja wobec swoich wychowanków postępuję dziś zresztą tak samo. Pierwsze spotkanie studenta medycyny, człowieka zazwyczaj bardzo młodego, który najczęściej nigdy jeszcze nie uczestniczył w pogrzebie, nie był świadkiem czyjegoś odchodzenia, musi być stopniowe. Nie pokazujemy mu całych zwłok, bo zszedłby nam na zawał. Najpierw pokazujemy kości długie, które nie za bardzo jeszcze się z człowiekiem kojarzą, mimo że to są kości ludzkie. Później wprowadzamy czaszkę i tu już student zaczyna czuć, że ma do czynienia z człowiekiem, zaczyna się zastanawiać, czy to jest czaszka mężczyzny, czy kobiety. Później, gdy przychodzi czas na kompletne zwłoki, preparujemy je najpierw od strony grzbietu. Największe wrażenie zawsze robi twarz. W naszej psychice mamy zakodowane rozpoznawanie ludzi, ich emocji, nastawienia, relacji do nas i do świata przede wszystkim właśnie na podstawie twarzy. To jest zapisane w naszym systemie neuropsychologicznym, nosimy w sobie swoisty dekoder, który bezbłędnie odczytuje emocje innych ludzi niezależnie od wszystkich innych czynników, od tego, czy dany człowiek ma kolor skóry biały, czy żółty. Wiemy, kiedy Indianin się śmieje, kiedy Murzyn jest zły. I oto przed nami leży człowiek zastygły w ostatniej fazie życia. Jego twarz też coś wyraża, automatycznie zaczynamy więc ją czytać. Chcąc nie chcąc – musimy się z nim w tym najgłębszym sensie, jak człowiek z człowiekiem, spotkać. W tym samym momencie człowiekowi, komuś, kto staje przy zwłokach, również niejako z automatu podświadomość wysyła drugą myśl: dociera do niego, jak bardzo nasz czas na ziemi jest ograniczony.

Czy tych refleksji nie poprzedza jednak odruch odrzucenia?

To jest uwarunkowane fizjologicznie. Proszę mi wierzyć, że widoku rozkładających się zwłok żadnego ze zwierząt nie odbieramy tak intensywnie jak zwłok rozkładającego się człowieka, mimo że proces gnilny jest identyczny. Zapach gnilny człowieka jest dla innego człowieka tak silny, że można to pamiętać nawet kilka lat. Jak to się dzieje? Nasz system węchowy leży w mózgu bardzo blisko struktur odpowiadających za emocje, w obszarze zwanym węchomózgowiem. Wytworzył się taki mechanizm opracowywania bodźców węchowych i kojarzenia ich z emocjami, by na sygnał o tym, że w pobliżu jest rozkładające się ciało człowieka, powstawało uczucie odrazy, przymus natychmiastowej ucieczki. Organizm broni się, by się nie zakazić. Tak mamy to ułożone przez naturę.

Tu musi być coś jeszcze. Przecież zwłoki, na których uczą się medycy, woni nie wydzielają, a mimo to u niektórych kontakt z nimi wywołuje przerażenie, odruch wymiotny, przez kilka dni nie mogą dojść do siebie. Skoro to już nie jest fizjologia, a pewnie bardziej kultura, czy da się sobie w głowie przestawić jakąś dźwignię, która sprawi, że będę na nie patrzył... No właśnie – jak? Jak na człowieka?

I student, i lekarz muszą być przygotowani, nastawieni na to, że trzeba emocje oddzielić od profesjonalizmu. Wszystkich tego uczę. Sytuacje, które pan opisuje, u mnie się nie zdarzają. Pomaga mi w tym program donacji zwłok na cele naukowe, który stworzyłem od podstaw. Pierwszy wykład poświęcam więc zawsze ludziom, którzy podarowali swoje doczesne szczątki nie znanym sobie studentom, ufając, że oni godnie będą się wobec nich zachowywali. Student wie też, że te zwłoki kiedyś nie będą dla niego anonimowe, na koniec ćwiczeń zawsze organizujemy uroczysty pochówek naszych donatorów. Jeśli tylko darczyńca tego nie zastrzegł, w czasie pochówku student widzi jego zwłoki już „odkodowane", zna imię i zna nazwisko. Przychodzą przyjaciele, rodzina, wszyscy, których darczyńca polecił nam zaprosić, student widzi ludzi, w których człowiek, na którego szczątkach pracował, zostawił swoje dobre ślady.

Mogę iść do notariusza, wskazać zakład anatomii, do którego mają trafić moje zwłoki, mogę wskazać narządy, które nie mogą być preparowane, zastrzec, jak długo ma to trwać, a uczelnia pochowa mnie na swój koszt, we wskazany przeze mnie sposób. Dlaczego miałbym to zrobić? Dlaczego ludzie to robią? Dla pieniędzy?

Nie w Polsce, w Polsce może pan to zrobić wyłącznie altruistycznie, dla dobra przyszłych pokoleń, które będą leczyć lekarze „wychowani" na pana zwłokach. Zdarzają się jednak miejsca na świecie, gdzie za donację zwłok się płaci. W Australii na przykład jest to akt oszczędności. Koszty pochówku są tam tak absurdalnie wysokie, że bardziej się opłaca oddać zwłoki, powiedzmy, na rok studentom, a później za pogrzeb niech płaci jakiś medyczny uniwersytet. To chyba bardziej sensowna metoda finansowania niż zgłaszanie się do telewizji. Na własne oczy widziałem tam *show* analogiczny do programów w stylu „Urządzimy ci twój ślub”, tyle że tu zamiast pary szykującej się do ślubu była pani, która umrze za trzy miesiące i reżyseruje sobie, jak ten pogrzeb – oczywiście na koszt stacji – ma wyglądać.

Koledzy zaraz kupią prawa do polskiej edycji.

Wie pan, to nie jest tylko kwestia anegdoty. To naprawdę wpływa na stosunek ludzi do śmierci, gdy telewizja co chwila emituje reklamy zakładów pogrzebowych: „Pochowamy cię najlepiej jak umiemy. I najtaniej”. W Polsce sytuacja może się zmienić, gdy zasiłek pogrzebowy zostanie obcięty jeszcze bardziej, a podobno są takie plany. Tak rozumiana motywacja finansowa to jednak u nas – chyba na szczęście – margines w programie donacji.

Ludziom chodzi o dobro nauki?

Tak. Oni naprawdę o tym mówią, rozumieją, że ich zwłoki mogą na przykład czegoś nauczyć dwustu, trzystu studentów, że ktoś będzie przez to mniej cierpiał, że może uda się opracować nowy sposób walki z jakąś chorobą. Dla nas, dla lekarzy, zwłoki są przecież fenomenalnym i niezastąpionym trójwymiarowym atlasem. To nie tylko nauka anatomii, to u nas wymyśla się przecież nowe techniki operacji, chirurdzy ćwiczą nowe dojścia. Nasz olsztyński zakład anatomii w tym roku wyszkolił jedną trzecią neurochirurgów w zakresie małoinwazyjnych technik operacji kręgosłupa. Neurochirurg, żeby nauczyć się nowych technik, które wprowadzają firmy, na przykład implantów kręgosłupa, musi to przećwiczyć na zwłokach pod okiem specjalistów, którzy to robili.

Panie profesorze, jak o nich mówicie? To jest „pan", „pani", „preparat"?

Zazwyczaj to studenci nadają imię zwłokom, a później okazuje się, że Michalina nazywała się akurat Stanisława. Powiem panu, że mocno mnie zdziwiło, że studenci nadają zwłokom imiona. Nigdzie na świecie tego nie spotkałem, w Stanach, w Niemczech, w Australii. Oczywiście, takie personalizowanie zwłok nie może oznaczać, że zaraz zaczną się jakieś żarty. Nawet jeśli komuś coś głupiego przyszłoby do głowy, gwarantuję panu, że w grupie znajdzie się ktoś, kto powie: „Nie mów tak, nie zachowuj się w ten sposób, obrażasz te zwłoki, tę osobę, to jest ciało z donacji, prezent na całe twoje lekarskie życie".

Pan zrobiłby jakiemuś lekarzowi taki prezent ze swojego ciała?

Kucharz nie zachwala swojej kuchni.

Ot, porównanie.

Proszę mi zostawić margines na odrobinę tajemnicy.

Dlaczego? Skoro pan mówi, że ten program ma sens...

Ale to jest niemoralne, żebym namawiał, pokazując to na swoim przykładzie, w myśl zasady: „Idźcie za mną". Nie jestem duchownym ani guru sekty. Jestem naukowcem. Ja dostarczam informacji i chcę, by człowiek sam, nie opierając się na żadnym autorytecie, uznał, jak chce postąpić. Poza tym – wie pan – wielki filozof ojciec profesor Józef Innocenty Bocheński zapisał swoje ciało Instytutowi Anatomicznemu we Fryburgu i te zwłoki do dzisiaj nie zostały rozpreparowane, można by rzec, że tą donacją zrobił uczelni spory ambaras.

Kto by się odważył preparować mózg jednego z najtęższych umysłów XX wieku... Mózg to chyba w ogóle jeszcze inne piętro w anatomii. Pamięta pan moment, kiedy pierwszy raz przyszło go panu preparować?

Oczywiście, że tak. Mózg to wielkie *sacrum*.

Mózg jest chyba jak opuszczony kościół – tam przecież było wszystko: miłość, nadzieje, myśli...

Już czaszka robi wielkie wrażenie. Jest tak skomplikowana, tak fantastycznie wymyślona, tak przepiękna. Struktura, „anatomia" komputera to jest przy tym banał. Czaszka jest idealnie wprost przygotowana do roli, do jakiej jest przeznaczona. Mózg natomiast to jeszcze osobne zagadnienie.

Co się czuje nad ludzkim mózgiem? Zachwyt?

Widzi pan, u badacza te egzystencjalne refleksje szybko zmieniają się w uniesienia natury poznawczo-badawczej. Mózg na zewnątrz wygląda raczej zabawnie, bardziej przypomina jelita. Kiedyś myślano wręcz, że to część przewodu pokarmowego. Mózg jest niezwykle skomplikowany, jest najmniej znaną ze wszystkich struktur organizmu, ponieważ cała fizjologia mózgowia, cała nauka o mózgowiu w zasadzie jest oparta na mózgowiu zwierząt. Niepodobna przecież wyobrazić sobie eksperymentów na mózgu człowieka. Znamy więc mózg tylko i wyłącznie przez choroby, przez miejsca, które dotykają, wtedy widzimy, co za jakie odpowiada funkcje. Praktycznie do dnia dzisiejszego uczymy się wszystkiego po omacku. Nawet te współczesne techniki rezonansu magnetycznego nie są w stanie przebić się przez barierę wielkiej tajemnicy funkcjonowania mózgu.

Która część ciała najbardziej się Panu Bogu udała?

[*śmiech*] To tak, jakby pan mi dał potężny zestaw fajnych dziewczyn i kazał wybierać, która najbardziej mi się podoba. Kardiolog zawsze się będzie zachwycał sercem, ja na przykład zakochałem się w hipokampie. Na jego cześć zbieram koniki morskie, bo nazwa hipokamp właśnie od konika pochodzi. To malutki kawałek mózgowia. Bardzo prymitywna kora, która po pierwsze pełni funkcję nagrywarki tak zwanej pamięci krótkotrwałej – na bieżąco zapisuje to, co działo się w ciągu minut, dni, do dwóch tygodni. Po drugie, tam mieszczą się wszystkie emocje: miłość, nienawiść, kaprys, zachcianka, zły lub dobry humor.

Żartuję, że mógłby on być też symbolem pierwszego roku medycyny, bo tam nabywanie wiedzy sprawdzane jest zwykle w rytmie dwutygodniowym, wszystko zdawane jest więc „na hipokampie" i moją rolą jest, żeby z tego konika morskiego, z pamięci krótkotrwałej, przenieść tę wiedzę do kory nowej, do pamięci długoterminowej, z której będzie można ją sobie później odtworzyć. Będąc lekarzem czy jeszcze na starszych latach studiów, połączyć pewne fakty, a nie tylko przechowywać je przez dwa tygodnie w zasobnikach hipokampu, które są dosyć śmieszne i bardzo ciekawie skonstruowane. Jak ważnym elementem jest hipokamp, dowiadujemy się zaś zwykle, gdy dotyka go choroba, choćby ta najbardziej znana – Alzheimera. Widzimy ubytki pamięci krótkotrwałej, poważne deficyty emocji.

Na koniec zestaw najtrudniejszych pytań. Boi się pan śmierci?

Jak każdy. Marzę o tym, żeby nie była to śmierć w cierpieniu.

Jaka śmierć jest dla człowieka najlepsza? Gdyby pan miał wybrać swoją śmierć, jaka być powinna?

Tego wyboru ktoś za nas dokonuje, na szczęście. Bo nie ma sensu tego rozpatrywać. Zapętlilibyśmy się, dumając nad końcem naszych dni, a on i tak przyjdzie, zwykle nie mamy wpływu na to, czy złapie nas w zdrowiu, czy w chorobie, w bólu czy we łzach. A skoro nie mamy na to wpływu – po co tracić czas?

Co jest później? Czy na stole, przy którym pan staje, jest człowiek, czy tylko jego ciało?

Ciało to tylko garnitur. Może być bardzo śmieszne, lubiane albo nielubiane, akceptowane albo nie. Ktoś nam ten garnitur szyje – przodkowie, lekarze, środowisko. My mamy jedynie wpływ na to, jak będziemy go nosić. Nie od nas też zależy, kiedy przyjdzie nam go zdjąć.

A spotkamy się po śmierci czy nie?

Pewnie nie w tym ciele. Ono naprawdę jest genialnym, ale wciąż tylko pokrowcem. Proszę spojrzeć, w tym wymiarze, który jest najważniejszy, stanowi o naszym człowieczeństwie, tak naprawdę nie istniejemy jako ciało, to wszystko jest poza sferą, którą ja mogę wypreparować. Jeśli nie zna się osobiście pisarza i czyta się jego książki, odbiera się wiedzę o nim zupełnie bez obserwacji jego ciała, ono w tym nie uczestniczy. To poza ciałem są największe skarby ludzkości.

30 listopada 2010 roku

ŻEBY TYLKO NIE WYSCHŁY MI ŁZY

[ks. Andrzej Opolski]

Nazywam się Andrzej Opolski i jestem proboszczem parafii prawosławnej świętej Anny w Boratyńcu Ruskim. Jestem ojcem trójki dzieci. Musiałem podjąć najcięższą decyzję: sam ochrzcić własne dziecko. Szybko, z wody tylko ochrzciłem i wezwano karetkę. Pani doktor powiedziała: „Proszę państwa, jej klinicznie nie ma, Zuzia klinicznie nie istnieje, nie ma się z czego cieszyć, prawdopodobnie nic z tego nie będzie". Więc jej powiedziałem: „Pani niech robi swoje, a my będziemy robić swoje". Prosiliśmy cały świat o modlitwę. Góra Athos modliła się za nią. Trzeba tyle modlitwy, żeby Bóg był bez szans. „Moje są tylko grzechy – poucza nas apostoł Paweł – wszystko pozostałe jest Boga".

Z tego by wynikało, proszę księdza, że Bóg daje też chorobę.

W liturgii Cerkwi prawosławnej, Kościoła prawosławnego, są takie słowa: „Ty wszystko uczynisz, by nas doprowadzić do siebie". To odpowiedź na pana pytanie.

Czyli Bóg daje też choroby?

Tak. Po to, żeby nas doprowadzić do siebie, do domu Ojca.

A nie mógłby bez?

Może i mógłby, ale to jest pewnie lepsze.

Nie wierzę w to. Ksiądz doświadczył wielkiego cierpienia, córka księdza ciężko choruje. I naprawdę myśli ksiądz, że Bóg mógłby tego chcieć?

Jeśli nie On, to kto?

Nie wiem. Jedni powiedzą, że to skutek zła, które człowiek sprowadził na świat. Inni, że przypadek.

Nie ma przypadków. Jest wola Boża.

Jak pogodzić ją z faktem, że Bóg jest dobry? Wolą Dobrego jest cierpienie dziecka, w którym nie ma żadnego grzechu – poza pierworodnym. Jak pogodzić te dwa obrazy?

Poddać się Jego woli. Moja wola jest zła i niepotrzebna. Jeżeli będę próbował wcielać moją wolę w życie, którego sam sobie nie dałem, to będzie niedobrze. Starzec Paisjusz mówi, że dobrze jest być jak kamień – niewzruszonym, i niech Bóg czyni wszystko. On zrobi wszystko, by nas doprowadzić do siebie. Mnie i moją rodzinę często pytano: „Dlaczego akurat księdza to spotkało?". Wydaje im się, że jak ktoś służy Panu Bogu, jak ktoś mówi o Bożej dobroci, powinien być pod jakąś szczególną ochroną. Odpowiadam im, że przecież lekarze też chorują. A ja i moja rodzina jesteśmy dowodem na to, że istnieje sprawiedliwość Boża.

Sprawiedliwość?

Właśnie. Każdemu tyle, ile da radę unieść. Bóg daje nam taki krzyż, jaki jesteśmy w stanie podjąć. Miłość Boga nie polega na tym, że nie daje krzyża, ale że zawsze daje krzyż na miarę człowieka. Gdyby tak nie było, nie byłby miłością.

Byłby sadystą.

Nie użyłbym takich słów.

Ale ludzie w cierpieniu takich słów używają... Pamięta ksiądz moment, kiedy stało się jasne, że z księdza córką jest źle?

To było w szóstej dobie życia Zuzi. Przewijałem ją, zaczęła wymiotować żółcią. Wymiotowała długo, może to był litr wydzieliny, może więcej. Zaczęła umierać. Zrozumiałem, że muszę ją ochrzcić, i zrobiłem to.

Wtedy nie było gniewu, rozpaczy? Pytania „dlaczego"?

Oczywiście, że był. I ja, i moja żona zadaliśmy sobie pytanie: „Dlaczego ja?". Czasem nie jest łatwo być wybrańcem. Ale to był tylko moment. Cierpiało moje ciało, moja dusza, cierpiało moje człowieczeństwo, ale pokłady duchowości, które są w każdym człowieku, ostatecznie to przezwyciężyły. Zwyciężyła modlitwa, moja wiara, którą dostałem od rodziców. Moja mama była człowiekiem modlitwy, nigdy nie spędzała czasu „na pusto", bez modlitwy. Zmarła na Wielkanoc, gdy w cerkwi śpiewają *Chrystos woskriesie*. Gdy człowiek ma takie korzenie, choćby zwątpienie przyszło, jest krótkie. Nawet z fizycznej zapaści człowiek się jakoś podnosi.

Przeżył ksiądz taką zapaść?

Był taki moment. Wróciliśmy już z Białegostoku do Siemiatycz na doleczenie, dojeżdżałem do Zuzi i do żony codziennie z Boratyńca, gdzie musiałem już normalnie pracować. Przyszła taka chwila, że moje siły po prostu ustały. Zaczęto mnie ratować. Nie pamiętałem, jak jechałem do szpitala, jak mnie kładli na łóżko, jak podłączali mi kroplówki. Cierpienie fizyczne wykończyło nas do tego stopnia, że nawet wszystkiego nie pamiętam. To był ciężki czas – nie dałem rady spać. Wstawałem o pierwszej w nocy, chodziłem, piłem święconą wodę, jadłem prosforkę, biłem pokłony, modliłem się bardzo. Pojechałem do lekarza, dał mi jakieś tabletki, nic nie pomogły, wyrzuciłem je w kąt i skupiłem się na modlitwie. Chodziłem do cerkwi, siedziałem, modliłem się godzinami.

Rodzina księdzu pomagała?

Nie było ze mną rodziny.

Dlaczego?

Wie pan, Ewangelia nas poucza, a Chrystus mówi, że „wrogami człowieka będą jego najbliżsi". Pamięta pan, kto sprzedał

Chrystusa? Bardzo mi wtedy pomogli ci, którzy – mam nadzieję – już zawsze będą z nami. Mój spowiednik, ojciec Borys, moi koledzy księża.

A nie myślał ksiądz wtedy, że może chrzest nie był wcale najtrudniejszym momentem, że ta chwila nadejdzie wtedy, gdy będzie musiał ksiądz poprowadzić pogrzeb własnego dziecka?

Mam nadzieję, że to ona poprowadzi mój pogrzeb.

Ma ksiądz bardzo silną wiarę.

Wiem, że tak będzie. W tamtym roku służyłem pierwszą liturgię za dzieci chore ma mukowiscydozę, przyjeżdżali do nas rodzice i dzieci z całej Polski. W tym roku również. Modlimy się za każde dziecko, za wszystkich chorych na mukowiscydozę, na każdej liturgii. Moi parafianie już wiedzą, co to jest mukowiscydoza. Wciąż wierzymy, że Bóg ześle jakieś lekarstwo. O to się modlimy i zwyciężymy.

Powiedział mi ksiądz przed rozmową, że trzeba modlić się tak, żeby Pan Bóg miał związane ręce. Z tego cierpienia już wyprowadziliście dużo dobra, ludzie uwrażliwili się, pojawiło się dużo miłości, wsparcia, szacunku, ale wciąż nie ma najważniejszego – Zuzia wciąż choruje. Za słabo się modlimy? Za słabo związaliśmy Mu te ręce?

Troszkę pan to uprościł...

Próbuję zrozumieć, jak mówić do Boga w takich sytuacjach – to może się przydać mnie i innym.

Gdy modliliśmy się za Zuzię, faktycznie jedna z osób powiedziała: „Bóg już nie ma wyjścia, on jest tak obstawiony, tyle osób się modli, że musi być dobrze". I jest dobrze. Od lekarzy usłyszałem zaraz po urodzeniu Zuzi, że jej z klinicznego punktu widzenia już nie ma. A ona jest. I będzie żyła. Jeszcze będzie nas cieszyła, da temu światu wiele dobra. Wygraliśmy. Nie mam żalu do tamtych lekarzy, mądra pani doktor prosiła mnie też, żeby modlić się za nich, by Pan Bóg dał im pomysł, co robić, bo byli zupełnie bezradni. Zuzia nie miała żadnych szans. Bóg działa, nie tylko w jej życiu. Ona swym istnieniem uratowała już wiele istnień ludzkich. Do naszej cerkwi przychodzą ludzie, my się za nich modlimy, służymy akafisty. Nagle dowiaduję się, że kobieta pojechała do Białegostoku, zrobili jej badania i pytają: „Gdzie pani podziała tego raka?". Ona mówi: „Chyba w Boratyńcu Ruskim, chyba w tej cerkwi". Nasza wiara jest poparta dowodami. Bóg nie rzuca słów na wiatr. Powiedział, że jest, i rzeczywiście jest z nami.

Czy księdzu zdarza się płakać?

Często modlę się, żeby łzy nigdy mi nie wyschły... Żeby nigdy nie służyć Świętej Liturgii na sucho. Kiedyś jeden z mądrych zakonników powiedział, że jeżeli choć jedna twoja łza spadnie na ołtarz, Bóg wybaczy ci wszystkie grzechy.

Ile ich upadło?

Nie odpowiem.

Czy ksiądz ma jakieś marzenia? Takie ludzkie?

Pewnie, że mam. Jeżelibym wiedział, że moja ofiara pomogłaby i znalazłoby się lekarstwo na mukowiscydozę, by na całym świecie nikt już więcej nie cierpiał przez tę straszną chorobę – to każdemu chciałbym oddać swoje serce. Niech je podzielą, niech wezmą kawałeczki, niech mnie nie będzie, niech oni żyją.

A co wtedy z księdzem?

Nic. U Boga wszyscy są żywi. Pojęcie „koniec" jest tylko nasze, ziemskie. W prawosławiu nie ma pojęcia końca, w chrześcijaństwie nie ma pojęcia końca, u Boga wszyscy są żywi. To, że nas to dotknęło, to palec Boży. Chrystus mówi w Ewangelii: „Nie Wy mnie wybraliście, ale Ja was wybrałem". Oczywiście, że to wybranie czasem boli, ale to był ból słodki i dalej jest taki.

Jak ksiądz sobie wyobraża niebo?

Dlaczego mam sobie wyobrażać? Niebo to jest wieczne szczęście, przebywanie z Bogiem, w łasce Bożej. To jest niebo. Tak prostymi słowami można by to powiedzieć.

Myślałem, że powie ksiądz: „Brak cierpienia".

Tam już nie będzie cierpień. Jeżeli zasłużymy na niebo. Tam nie ma smutków, boleści, westchnień, jest życie bez końca. Cerkiew jest łodzią, która płynie po morzu życia i wiezie nas do jedynej przystani – do królestwa niebieskiego. I mam nadzieję, że ani ja, ani moja rodzina, ani moi parafianie nie wypadniemy z tego okrętu.

Gdy ksiądz modli się za córkę, co ksiądz mówi: „Bądź wola Twoja" czy „Daj jej zdrowie"?

Ani to, ani to. Zawsze mówię, żeby Bóg wybaczył mi moje grzechy, bo to przez moje grzechy zapewne ona cierpi...

Dlaczego ksiądz tak myśli?

A dlaczego nie?

To jakieś okrucieństwo – jeżeli ksiądz zgrzeszy, Bóg musi ukarać za to dziecko? Jezus, uzdrawiając niewidomego, gdy go pytają, kto zgrzeszył – niewidomy czy jego rodzice – odpowiada, że ani on, ani rodzice, że tak się stało, aby się wypełniły Boże plany.

A więc widzi pan – choroba może być Bożym planem. A moje grzechy sprawiają, że na tym świecie jest więcej cierpienia. Mój grzech jest źródłem problemu, nie tylko w życiu Zuzi, w całym świecie. Najpierw próbuję więc zakręcić kurek ze złem, później zebrać wodę. Najpierw proszę Boga, żeby wybaczył moje, nasze grzechy, później, żeby dał lekarstwo dla wszystkich cierpiących, na końcu modlę się o zdrowie dla swojej Zuzi. Na końcu...

W was, prawosławnych, jest coś, o czym my, chrześcijanie z Zachodu, często zapominamy. Świadomość, że gdzieś tam pod spodem świata wszystkie te rzeczy plotą się ze sobą – zło, które czynię, nie jest błahą sprawą, przyczynia się do wzrostu cierpienia na ziemi... Po rozmowie z księdzem mam wrażenie, że chciałbym uważać na to, co robię, co mówię. Nie dlatego, że się boję, ale dlatego, że nie chciałbym kogoś skrzywdzić.

Co pana powstrzymuje przed tym, żeby tak robić?

To, że lubię o tym zapominać.

Bo jest pan człowiekiem, jak ja. Lubimy sobie czasami pofolgować, prawda? Ale przychodzi czas, kiedy człowiek się zastanawia, bo jak to powiedział święty Filaret, metropolita moskiewski, w swojej modlitwie:

Panie! Nie wiem, o co mogę prosić Ciebie! Ty jeden tylko wiesz, co jest mi potrzebne. Ty kochasz mnie nade wszystko, a ja nie wiem, czy umiem kochać Ciebie.

Ojcze! Daj słudze Twemu – to, o co prosić nie umiem. Nie mam odwagi prosić ani o krzyż, ani o pocieszenie. Tylko stoję przed Tobą z otwartym sercem. Ty widzisz wszystkie moje potrzeby, których ja nie widzę.

Spójrz! – i uczyń ze mną wszystko według Twojej miłości. Jeżeli porazisz, to ulecz, jeżeli położysz, to podnieś. Stoję w skupieniu i milczę przed świętą Twą wolą i niedoścignionymi dla mnie Twoimi sądami.

Przynoszę siebie w ofierze Tobie. Oddaję się Tobie. Nie mam innych pragnień. Prócz jednego – spełnić Twą świętą wolę.

Naucz mnie modlić się i sam bądź ze mną w modlitwie!

Amen.

13 października 2010 roku

Losy Zuzi można śledzić na stronie www.zuzia.muko.med.pl

Ksiądz Andrzej Opolski jest dyrektorem MATIO, Północno-Wschodniego Oddziału Fundacji Pomocy Rodzinom i Chorym na Mukowiscydozę.

Każdy, kto chce pomóc Zuzi, może przekazać na jej rzecz 1% swojego podatku. Wystarczy w rocznym zeznaniu podatkowym podać numer KRS 0000064892. W rubryce „INFORMACJE UZUPEŁNIAJĄCE, cel szczegółowy 1%" należy wpisać: „1% dla Zuzanny Opolskiej".

WIEM, ILE BŁĘDÓW ZROBIŁEM

[Jacek Łapot]

Nazywam się Jacek Łapot. Od trzydziestu lat zajmuję się satyrą, kabaretem. Kiedy traci się bliską osobę, człowiek zaczyna sobie przypominać wspólne sytuacje, to, co się razem robiło. Pierwsza rzecz, o której pomyślałem, to że ja ją nauczyłem jeździć samochodem. Bardzo wielu rzeczy nie zdążyłem jej powiedzieć, w bardzo wiele miejsc nie zdążyłem jej zabrać.

Czego pan jej nie powiedział?

Nie powiedziałem jej, co ją jeszcze w życiu może czekać, złego i dobrego. Zwłaszcza dobrego, bo Karolina nie miała łatwego życia. Zresztą – pewnie ona mnie też obserwowała, wiedziała, że moje życie także nie było łatwe. Moje pierwsze małżeństwo się rozpadło... Zabrakło nam czasu na rzeczy fajne, wesołe, pozytywne, na miejsca, w których człowiek unosi się nad ziemią.

Nie był pan dobrym ojcem?

Raczej marnym. Ponad dwadzieścia ostatnich lat nie mieszkaliśmy razem. Rozwiedliśmy się z żoną, mieszkaliśmy co prawda niedaleko, ale nie razem. Byłem takim dochodzącym ojcem od rozrywek, od zabierania na wakacje, na basen, na lodowisko, do kina.

Jednak pokazywał pan jej dobre strony życia, praktycznie tylko z nimi się jej pan kojarzył.

Przynajmniej na początku naprawdę bardzo się starałem. Później nasze relacje skomplikowało moje drugie małżeństwo i to, że urodził się Kuba, mój syn. Dzieci zawsze rywalizują o uczucia rodziców, zwłaszcza w takiej pogmatwanej sytuacji. Poza tym muszę niestety naskarżyć na Karolinę – ona, mając lat piętnaście, weszła w typowy okres buntu, z którego nie wyszła jednak, jak to się zwykle dzieje, po czterech czy pięciu latach. U niej ciągnęło się to znacznie dłużej. Gdy jej zabrakło, te wszystkie lata pootwierały się znowu we mnie jak rana. Ostatni czas był jednak dla niej dobry, wszystko się uspokoiło, zamieszkała ze swoim wspaniałym mężem pod Toruniem, w Chełmży. Wreszcie była na fali wznoszącej, zaczęła się era uśmiechu, sukcesów...

Odetchnął pan z ulgą.

Zdecydowanie... Był taki okres w naszym życiu, że kiedy widziałem na komórce, że dzwoni moja pierwsza żona, było jasne, że Karolina znowu coś narozrabiała. Z ojca, który w dzieciństwie był specem od atrakcji i wakacji, nagle miałem stać się kimś pełniącym funkcję autorytetu w tej naszej rozbitej rodzinie. Przyjechać do Dąbrowy Górniczej, pouczać, egzekwować, doprowadzać do stanu używalności i porządku. Fatalna rola. Tu znów chciałem się poskarżyć, jeżeli można, bo, kurczę, tyle się nauczyłem w szkole, na jednych studiach i na drugich, setek ton zupełnie nieprzydatnych w życiu rzeczy, dlaczego nikt nigdzie nie uczy, jak postępować z dziećmi? Jakie środki, jakie metody stosować w rodzinie, żeby to zrobić dobrze, skutecznie i zaoszczędzić cierpień dziecku i sobie? Mam cholerną świadomość, ile błędów zrobiłem we wszystkich pełnionych przeze mnie rolach.

Rozmawialiście o tym? Zrobił pan przed córką rachunek sumienia ze swojego ojcostwa?

To wszystko potoczyło się za szybko. Poza tym – odległość. Nie mieszkaliśmy razem, widywaliśmy się rzadko, kilka razy w roku. Był taki moment w czasie jej zaręczyn, niedługo później ślub, wtedy troszkę rozmawialiśmy. Ale to też nie były te okoliczności... Trudno na przyjęciu weselnym robić rozrachunki i spowiadać się nawzajem z tego, co sobie złego zrobiliśmy. Ale gdybym tylko wiedział, wszyscy goście poszliby w kąt i gadalibyśmy non stop... Dziś tego też żałuję.

Czuł pan się przez córkę kochany?

Chyba tak... Dzwoniliśmy, rozmawialiśmy, myślę, że to był rodzaj uczucia, które można nazwać miłością. Byłem jej jedynym ojcem i zawsze mogła się do mnie zwrócić w trudnych sytuacjach. Myślę, że tak.

To pan ją nauczył jeździć samochodem.

Tak. Panu mogę zwierzyć się z popełnienia wykroczenia, bo oczywiście nielegalnie jeździliśmy na kilku placykach w Dąbrowie Górniczej i w Katowicach. Dużo jeżdżę, wydaje mi się, że robię to dobrze, przejechałem z milion kilometrów, bo praca satyryka wcale nie polega głównie na tym, że się wychodzi na scenę i jest się śmiesznym, to jest przede wszystkim jeżdżenie. Chciałem dobrze przygotować córkę do egzaminu na prawo jazdy, już wtedy zapowiadało się, że będzie bardzo dobrze jeździła. No, a później ta seria wypadków...

Seria?

Tak. 15 grudnia miała wypadek, z którego wyszła bez szwanku. Dowiedziałem się o nim podczas występu kabaretowego w Teatrze Polskim w Bielsku-Białej. Ten mój głupi zawód naprawdę rujnuje psychikę. Człowiek wychodzi, ma być dowcipny i rozśmieszać, cała sala mocno rozbawiona, a tu nagle telefon od mojej pierwszej żony, że Karolina miała wypadek pod Toruniem, w okolicach Świecia. 15 grudnia po południu, a więc już po zmroku, Karolina jechała samochodem osobowym. Jeździła bardzo dużo, prowadziła szkolenia, jej firma miała oddziały w całej północnej Polsce. Jechała za ciężarówką, z której spadła na jej samochód jakaś sztaba. To było niczym zderzenie z meteorytem. Jej samochód poleciał na drugi pas, zderzył się z innym, wpadł do rowu, koziołkował, po prostu masakra. Najbardziej przerażające są te godziny niepewności, pierwsze telefony... Człowiek setki kilometrów dalej odchodzi od zmysłów i wie, że tak naprawdę nie ma na nic wpływu... Wreszcie w nocy Michał, mąż Karoliny, zadzwonił ze szpitala, że wracają do domu, że prawie nic jej się nie stało, trochę się poobijała, siniaki, takie sprawy. Zadziałały wszystkie systemy bezpieczeństwa, pasy, poduszki. Może miała lekki wstrząs mózgu i to wszystko.

Była na zwolnieniu, na święta przyjechała do mamy do Dąbrowy Górniczej, powiedziałem jej wtedy: „Karolina, jeśli wychodzisz cało ze zderzenia z meteorytem, to teraz już ci się nigdy nic złego nie stanie. Tylko proszę cię, jeźdź ostrożniej".

Dostała drugie życie. Tylko dlaczego takie krótkie? Co tak naprawdę stało się tego cholernego 24 marca – nie wie nikt. Karolina naprawdę od tego momentu jeździła ostrożnie. Miała trochę urazu, poza tym – nowe auto. Może tym razem gdzieś się spieszyła, nikt nie wie. Oczywiście, policja w swoich durnych raportach napisała coś, czego nie powinna napisać, bo podobnie jak my nie miała zielonego pojęcia: przyczyną wypadku było niedostosowanie prędkości do warunków.

Zawsze tak piszą, tak jest najłatwiej. Ale co się działo z Karoliną? Z panem?

Pamiętam swoje pierwsze uczucie – żal, poczucie, że to jest niesprawiedliwe. Miałem czas, żeby to wszystko mnie przeżarło. Wypadek miał miejsce wcześnie rano, wieczorem wszyscy byliśmy już u mojej córki w szpitalu w Toruniu, lekarze dawali nadzieję. Karolina była w śpiączce farmakologicznej, na OIOM-ie są te wszystkie restrykcyjne dla rodziny procedury. Żona wróciła więc na Śląsk podomykać szybko jakieś sprawy służbowe, później się wymieniliśmy – ja pojechałem do domu, żona przy niej została. I nagle – zupełnie niespodziewanie – pierwszego kwietnia jest telefon: jest bardzo źle, gwałtowne pogorszenie, Karolina się nie wybudziła, najprawdopodobniej mózg został nieodwracalnie uszkodzony i dzisiaj będzie orzekana śmierć mózgu, czyli zgon mojego dziecka. Cały byłem jedną wielką pretensją, nie wiem do kogo, to zresztą nie miało znaczenia. Oczywiście natychmiast wsiadłem w samochód i popędziłem do Torunia. Nie wiem, nie umiem tego nazwać. Pewnie gdybym siedział na miejscu, miałbym więcej czasu na nazwanie własnych uczuć, myśli, a tak, gdy człowiek jedzie samochodem w kierunku szpitala, nie ma czasu na rozpacz, na ukierunkowane pretensje. Po prostu jedzie i płacze.

Jedzie żegnać własne dziecko. Nie umiem sobie wyobrazić straszniejszej marszruty.

Właśnie. Co godzinę była kolejna wiadomość. Następna – od matki Karoliny, Bożeny. Potwierdziła, że to orzekanie będzie dziś, definitywnie. Nigdy by mi do głowy nie przyszło, że to tak wygląda. Że to trwa tyle godzin. Przychodzi komisja złożona z lekarzy różnych specjalności, badają odruchy, przepływ krwi w mózgu, po paru godzinach znowu i znowu, i dopiero wtedy stwierdza się śmierć pacjenta. Gdzieś po drodze padło kluczowe pytanie: czy zgadzamy się, by organy Karoliny mogły być użyte do przeszczepu? Zgodziliśmy się natychmiast, nie było chwili dyskusji na ten temat. Tym bardziej że po tym pierwszym wypadku Karolina rozmawiała z mamą i choć nie miała tak zwanego oświadczenia woli, wyraźnie powiedziała jej, że tego właśnie by chciała.

Powiem panu, że ja też nie mam takiego oświadczenia, nie wiem zresztą, czy ktokolwiek chciałby moje organy, ale chyba sobie taką kartkę sprawię. Takie myśli przychodzą, dopiero gdy się człowiek o to otrze, bo kto z nas myśli, wstając, idąc do pracy czy na przyjęcie: „A gdy umrę, co będzie z moimi organami"?

O tym się nie myśli, nie ma się narzędzi, by takie sytuacje obsługiwać. Ale podjęliśmy tę decyzję, w imieniu córki. Następna doba była straszna. Siedzenie w szpitalu, czekanie... Karolina nie została odłączona od aparatury... W końcu ordynator powiedział: „Do pańskiej córki przybyli goście"... Zaczęły się pielgrzymki po fragmenty ciała Karoliny... Z różnych ośrodków: po serce przyjechali z Zabrza, po inne organy z Warszawy, z Bydgoszczy.

Byliście wtedy w szpitalu?

Tak. To było następnego dnia od rana. Ordynator zaproponował: „Czy pan by chciał poznać tych panów...". Nie chciałem. Uciekłem stamtąd, chciałem się czymś zająć, szybko się czymś zająć.

Jak to pana zmieniło?

Wie pan, nieszczęścia chodzą parami. Jesienią ubiegłego roku rozpadło się moje drugie małżeństwo, wiosną zginęła córka. Zmieniłem się, na pewno. Śmierć Karoliny mnie wyciszyła... Jeszcze bardziej, bo ten proces zaczął się już po drugim rozwodzie. Po śmierci Karoliny zacząłem się też bardziej martwić o syna. Tym bardziej że Kuba ma prawo jazdy i jego też uczyłem jeździć, i on też bardzo dobrze jeździ. Choć tego nie lubi. To dziwne, wie pan, dwudziestoletni chłopak zwykle męczy ojca o samochód: „Tato, daj auto, daj auto, ja się przejadę". Kuba nie. Kiedy jedziemy gdzieś razem, zmuszam go, żeby prowadził chociaż w jedną stronę. Tłumaczę mu, że trzeba jeździć, bo nie ćwiczona umiejętność zanika. On już jest dorosły, studiuje, jego wybór... a może to dobrze, że się nie pali do prowadzenia auta.

Czy dzisiaj pana relacja z córką to jedynie album ze wspomnieniami, czy jeszcze się pan z Karoliną spotka?

Nie wiem. Nie potrafię odpowiedzieć. Nie wierzę w życie pozagrobowe, jeżeli o to pan pyta. Natomiast miłość zostanie. Poza tym – zacząłem się nad tym znów ostatnio zastanawiać – przecież w kimś bije serce Karoliny. W Poltransplancie powiedzieli mi tyle, na ile pozwalają przepisy – że serce Karoliny uratowało życie młodego mężczyzny z Pomorza. To podobno tylko mięsień, organ, jednak te dobre emocje, dobre uczucia, dobre rzeczy, które były w Karolinie, być może są jeszcze w kimś, nadal gdzieś komuś pomagają żyć. Kurczę, być może ten człowiek się zmieni? Z tym nowym sercem... Może będzie ostrożniej jeździł. Nie wiem. To wszystko bardzo trudne – to, o czym rozmawiamy, wie pan, nie myślałem o tym nigdy, ale może gdybym wiedział, przygotowałbym się lepiej...

Do jakiej myśli pan się dzisiaj uśmiecha, sam dla siebie, kiedy już pan schodzi ze sceny?

To mnie pan znowu... Szukam takiej jednej myśli, ale jednej nie ma. Wie pan co, jestem teraz troszkę sam, czuję się bardzo samotny. Gdy rok temu zacząłem na stare lata na powrót mieszkać sam, zawsze mogłem jeszcze zadzwonić do córki. Teraz już nie mogę. Ale uśmiecham się do tej swojej samotności, bo tak naprawdę wszystkie rzeczy, które mnie spotkały ostatnio, dały mi dużo. Wiedzy o mnie samym. Może ja też będę lepszy, choć trochę? Nie byłem taki całkiem dobry, nie byłem modelowym ojcem, mężem. Krótko mówiąc, mam nadzieję, że Polak nauczył się na błędach.

Tyle wiemy o sobie, ile nas sprawdzono.

Tak. A czy faktycznie jestem lepszy... To już trzeba by pytać innych... Proszę mnie nie dręczyć, bo naprawdę nie umiem rozmawiać poważnie o bardzo trudnych sprawach. Pierwszy raz w życiu mam taką rozmowę. Panie Szymonie, ja nie spowiadam się od dwudziestu lat. Po pierwszym rozwodzie, kiedy nie dostałem rozgrzeszenia, stwierdziłem, że nie będę się spowiadał, bo to i tak do niczego nie prowadzi. I teraz nagle pan mnie naciągnął na taką spowiedź, naprawdę. [*uśmiech*]

28 października 2009 roku

TRZEBA O TYM KRZYCZEĆ

[Halszka Opfer]

Nazywam się Halszka Opfer. Byłam molestowana od najmłodszych lat. Bardzo mnie upokarzało to, co robił tato, wstydziłam się tego i nigdy nikomu o tym nie mówiłam. Zawsze marzyłam, że mój ojciec szybko umrze. Prosiłam Boga, albo żebym ja umarła, albo żeby on umarł, bo czułam, że nie jestem w stanie znieść tego cierpienia. Nie mogłam znieść jego dotyku. Moja mama nie poczuwała się do winy. Pamiętam sytuację z jego pogrzebu, kiedy mama chciała, żebym się z nim pożegnała. Nigdy nie dotykam ludzi umarłych, ale myślę, że gdybym bardzo go kochała, tobym to zrobiła. Tata był bardzo despotycznym, złym człowiekiem. I kiedy usłyszałam go zapłakanego, to byłam tak wstrząśnięta, a jednocześnie cieszyłam się, że przed śmiercią prosi mnie o wybaczenie. Pierwszy raz odzyskałam ojca, trzy dni przed jego śmiercią. Pierwszy raz w życiu poczułam, że to jest mój ojciec.

Pytanie: co wtedy robić? Przekreślić to całe zło, koszmar, który ten człowiek wam fundował? Umiera, teraz łatwo mu prosić o wybaczenie, bo już jest bezwładny, nie może nic zrobić, idzie na tamtą stronę, boi się? Tchórz.

Ja tego tak nie widziałam. Wiele osób robiło mi wyrzuty: „Jak można takiemu człowiekowi wybaczyć?". Dopóki nie poprosił o wybaczenie, sama myślałam podobnie. Ale kiedy zobaczyłam człowieka, który prosił, płakał, a nigdy wcześniej nie widziałam u niego łez, zrozumiałam, że się naprawdę zmienił, i było mi łatwiej mu wybaczyć. To wybaczenie było jednak potrzebne przede wszystkim mnie. Momentalnie poczułam się wolna, szczęśliwsza. Bo ja ojca bałam się przez całe życie.

Trudno się dziwić.

Miałam do niego wręcz fizyczny wstręt. Kiedy przyjeżdżałam do rodziców, pilnowałam się, żeby nie dotykać jego ubrań, żeby nigdy z nim nie usiąść w jednym pokoju, przy stole. Nie potrafiłam nawet na niego patrzeć, trzymałam się na dystans. Kiedy prosił mnie o wybaczenie, dla mnie był to szok. Choroba bardzo go zmieniła, upokorzyła, nagle zaczął potrzebować dzieci, wnuków, bo dotąd tak naprawdę niewiele go obchodziliśmy. Owszem, dawał pieniądze na życie mojej mamie, ale nigdy nas normalnie nie przytulał, nigdy się z nami nie bawił. Ojciec po prostu nas nie lubił jako dzieci.

Czy to była jedna z przyczyn, dla których traktował was przedmiotowo?

Wszystkich nas tak traktował. Wie pan, jak znęcał się nad moją siostrą? Dopiero gdy dorosłam, dotarło do mnie, że przezywał ją z powodu jej choroby: łuszczycy, na którą chorowała. Zawsze się jej wstydziła, a on kpił z jej ułomności. Wymyślał zresztą wyzwiska dla wszystkich. Nazywał mojego brata padalcem i bardzo go to śmieszyło. My jako dzieci nie zdawaliśmy sobie z tego sprawy, tym bardziej że mama nigdy nie reagowała, nie broniła nas. Tego nie rozumiem. Brata często też bił. I to tak, że lała się krew.

Co jest złe, a co dobre, zorientowała się pani, dopiero gdy udało się pani wydostać z tego chorego układu. Że trzeba się myć, że trzeba mieć szczoteczkę do zębów. Że to, co robi ojciec z panią czy z pani siostrą, to coś złego, dowiedziała się pani, kiedy zaczął się dobierać do pani koleżanki, a ta przybiegła na skargę i powiedziała, że ma pani zboczonego ojca.

Proszę sobie wyobrazić, byłam wtedy w maturalnej klasie. Dotąd myślałam, że to jest normalne, że każdy ojciec robi to z własną córką, chociaż nie miałam odwagi kogokolwiek zapytać. No i stało się – moja koleżanka przyszła po mnie do szkoły. Tego dnia wyszłam wcześniej. Zadzwoniła do drzwi i otworzył jej ojciec. Złapał i wciągnął do mieszkania, wyrwała mu się jakoś i roztrzęsiona przybiegła do szkoły. Powiedziała, że mój ojciec chciał ją zgwałcić. Uświadomiłam sobie, że skoro ona tak krzyczy, to coś tu chyba jest nie tak. Rzecz jasna, przed tą koleżanką broniłam ojca, z poczucia ogromnego wstydu. Ale proszę sobie wyobrazić moją reakcję, wtedy zaczęło do mnie docierać, że spotyka mnie chyba coś strasznego, jakieś zło.

Co pani zrobiła po powrocie do domu?

Powiedziałam mamie, która czasem nieudolnie nas jednak chroniła. Powiedziała ojcu: „Jak ty się zachowujesz? Co ty wyprawiasz?". Były takie momenty. Ale były i inne, gdy lądowałam u ojca w łóżku przy aprobacie mojej mamy. I tego już nie rozumiem.

O znaczeniu tego, co jest pani udziałem od trzeciego, czwartego roku życia, dowiaduje się pani, mając lat osiemnaście, na progu dorosłości, układania sobie własnego życia. Kiedyś powiedziała pani, że jest pani ofiarą, czuje się pani ofiarą i tak układa sobie relacje z ludźmi.

Dopiero teraz wiem, co to słowo znaczy. I właściwie każda kobieta, która przechodzi w domu piekło, niezależnie, czy jest molestowana, bita, czy poniżana – na całe życie pozostanie ofiarą. Chociaż akurat kazirodztwo jest największą zbrodnią, jaką można na dziecku popełnić.

Ale czy jest w tym taki mechanizm, który występuje czasem u ofiar przemocy domowej, że ofiara zaczyna czuć się winna, twierdzi, że widocznie zasługuje na to, co ją spotyka?

Tak. Kiedy ojciec mi to robił, byłam przekonana, że jestem gorsza od innych dzieci. A wracając do tego bycia ofiarą, to dopiero teraz sobie uświadomiłam, jak traktowano mnie w szkole. Zawsze byłam kozłem ofiarnym. Wyśmiewano się ze mnie i pogardzano mną. Nie miałam koleżanek, przyjaciółki. Ze mnie można było sobie drwić, robić jaja. To też wyniosłam z domu, nie potrafiłam się bronić. To jest ten koszmarny mechanizm przemocy domowej. Najpierw się człowieka uprzedmiotawia, potem zaszczuwa, bo przecież jest nikim. A później wszyscy się z ciebie śmieją, że jesteś nikim. Sam na to zasłużyłeś.

Pomiędzy tą maturalną klasą a śmiercią ojca minęło parę lat. Musiała pani utrzymywać relacje z rodzicami, budując własne życie, wyszła pani za mąż, miała dziecko.

Rodzice wciąż źle nas traktowali, choć mama miewała przebłyski. Lubiła mi dawać do domu wałówkę. Dziś wciąż miewam wyrzuty sumienia, że mówię, że piszę prawdę. Wiem, że mama tymi gestami nie spłaci długu z dzieciństwa, ale teraz uważam, że ona też była w tym wszystkim ofiarą. Kiedy tylko wyszłam z domu, zależało mi na jednym – żeby uciec. Szukałam chłopaka, który mieszkałby daleko od mojej miejscowości, wydawało mi się, że jak ucieknę, to wszystko się skończy. Okazało się, że to był dopiero początek.

Co to znaczy?

To znaczy, że ofiarą jest się na całe życie. Wydawało mi się, że kiedy odejdę w nowe środowisko, to ludzie będą mnie inaczej postrzegać. Nieprawda. Ofiara ma wypisane na twarzy: „Jestem ofiarą, możecie robić ze mną, co chcecie, ja i tak się nie obronię". Może jaśniej to panu wytłumaczę.

To jest bardzo jasne. I przerażające.

Ofiara jest uległa. Zawsze byłam uległa. Oczywiście próbowałam się wykłócać, ale i tak w końcu robiłam wszystko, czego chciał mój ojciec. Dam panu przykład. Kiedy byliśmy dziećmi i przychodziliśmy do jego pokoju na bajkę, bo on u siebie miał nasz telewizor, gdy tylko mnie widział, momentalnie odkrywał kołdrę i zaczynał się onanizować. Kątem oka dostrzegałam, co on robi, i ogarniał mnie paraliż. Widziałam coś takiego na filmach przyrodniczych, gdy wąż boa hipnotyzuje swoją ofiarę, a ona siedzi i czeka, aż on ją połknie. W tym momencie czułam się tak samo – totalnie sparaliżowana. Powie pan: „Trzeba było krzyknąć: »Tato, co ty robisz?«". A mnie nie było na to stać. Tu tworzyła się jakaś chora nić porozumienia oparta na przemocy – ja wiedziałam, że jemu zależy, żebym na to patrzyła, dopóki nie skończy. I robiło mi się słabo, byłam spocona, wiedziałam, że z bajki nic nie będzie, ale musiałam siedzieć i patrzeć, bo wiedziałam, że on tego chce. To jest dramat. Były w moim życiu momenty, kiedy próbowałam walczyć – w domu biłyśmy się o miejsce w łóżku z moją siostrą, ona była starsza i mocniejsza, więc ja zawsze lądowałam od strony zewnętrznej, a ona od ściany, no i ojciec bliżej miał, żeby mnie w nocy zabrać do siebie do łóżka, i to robił.

Zastanawiam się, co pani musiała czuć, kiedy była pani później u nich w odwiedzinach. Ze swoją rodziną, ze swoim dzieckiem.

Jeździłam do rodziców. To jest też ciekawe, że im bardziej mnie krzywdzili, tym silniejszą czułam potrzebę, żeby ich odwiedzać. Nie pojmuję dlaczego. Ale kiedy sobie to uświadamiam, sama się przerażam tym wszystkim. Jest jakaś więź między ofiarą i sprawcą, a zdrowienie polega na tym, że ta więź słabnie. U mnie tego procesu nie było. Ale też nie miałam znikąd pomocy, bo wtedy jeszcze nie chodziłam do psychologa.

Siadaliście jak gdyby nigdy nic przy ciasteczkach i herbacie?

Nigdy nie wchodziłam do pokoju ojca, a tym bardziej nie siadałam z nim przy stole. Po prostu się go brzydziłam. Wtedy nie widziałam związku między tym, co on ze mną robił, a tym, że nie byłam akceptowana. Byłam przekonana, że nikt mnie nie lubi, bo jestem zła i zasłużyłam sobie na takie traktowanie.

Kiedy skończyło się molestowanie?

Nagle. On to robił do dwudziestego siódmego roku mojego życia. Pewnego dnia zdobyłam się na odwagę i oświadczyłam ojcu, że nigdy więcej nie pójdę do kościoła. Uświadomiłam sobie, że najbardziej skrzywdzili mnie ludzie, którzy siedzą w kościele w pierwszych ławkach. Przecież mój tata do końca odmawiał różaniec, moja mama też, do kościoła chodzili, księdza przyjmowali. Powiedziałam: „Nigdy więcej nie pójdę do kościoła, nie chcę mieć nic wspólnego z wami, z waszą religią". Ku mojemu zdziwieniu wtedy ojciec zaczął się mnie brzydzić.

Bogu dzięki.

To było dla mnie jak błogosławieństwo. On mnie od tej pory nie dotknął. Nie odzywał się, był wściekły. Robił mi awantury, że mam chodzić, bo Polak jest papieżem...

W głowie mi się nie mieści, jak można tak sprostytuować chrześcijaństwo, tak pluć w twarz Panu Bogu. Zastanawiam się, gdzie byli wasi spowiednicy, proboszczowie, sąsiedzi. Ale też gdzie byli znajomi? Rodzina? Rodzina wiedziała?

Siostra mojego ojca wiedziała, bo też miała z nim problemy, drugą swoją siostrę rodzoną też chciał zgwałcić, proszę sobie wyobrazić.

To po prostu chory człowiek.

A ja uważam, że on nie był pedofilem, on był po prostu wysoce zdemoralizowany. Pedofila podniecają dzieci, a mój ojciec się do dzieci nie ograniczał.

Pytanie, jak wyglądała ta jego ostatnia spowiedź, jak się mierzył w tym szpitalu z Panem Bogiem, do którego modlił się na różańcu, przed którym chodził na klęczkach.

Jak już był bardzo chory, mama mi powiedziała, że ma wyrzuty sumienia i że się wyspowiadał. Zastanawiałam się, ile dostał zdrowasiek.

A przede wszystkim, kto mu dał rozgrzeszenie, jeżeli nie spełnił warunku, który jest podstawowym warunkiem spowiedzi, to znaczy zadośćuczynienia.

No właśnie. Żeby dostać rozgrzeszenie, powinien przyjść i przeprosić.

Czy byłaby pani w stanie wybaczyć matce?

A co mam jej wybaczać, skoro twierdzi, że jest niewinna? Ona powinna powiedzieć nam to, na co czekamy z rodzeństwem od lat. Jest mi przykro, że nigdy nie widziała problemu. Bardzo ją kocham, ale co mam zrobić, gdy ona mówi, że nic nie pamięta, że nic złego nie zrobiła, powtarza, że to ona była nieszczęśliwa i bita przez niego. Ja jej ostatnio powiedziałam: „Mamo, to, że byłaś z ojcem, to był twój wybór, mogłaś odejść, miałaś pracę, nam tego wyboru już nie dałaś". My byliśmy skazani na siebie i na to, że on mógł nas kiedyś pozabijać. Czasem uciekaliśmy z domu. Mieliśmy taką ciotkę, jestem jej do dziś wdzięczna, spaliśmy u niej gdzieś tam na podłodze, robiła nam legowisko, żebyśmy spokojnie przespali noc, ale mama też niestety często nas zostawiała. Prosiliśmy ją ze łzami w oczach, żeby nas zabierała ze sobą, ale mówiła: „Nikt nas wszystkich nie przyjmie razem". I uciekała.

Ojcu pani wybaczyła.

Bo poprosił. To było bardzo ważne dla mnie. Było mi dużo trudniej żyć wciąż z takim wstrętem, nienawiścią, strachem.

Co z tym bagażem robić dalej? Pokazuje pani twarz, ale prawdziwe nazwisko ukrywa pod pseudonimem. Czy ten balon cierpienia trzeba publicznie przekłuć, czy lepiej chować, bo ludzie nie zrozumieją?

Trzymałam to w sobie kilkadziesiąt lat, nigdy nikomu nie mówiłam, co mnie spotkało. I byłam bardzo nieszczęśliwa, bo nie wiedziałam, dlaczego stale cierpię, dlaczego nie wychodzi mi z mężczyznami, u których szukałam tego, czego nigdy nie miałam – opieki, a nie partnerstwa. Dlatego rozpadło się moje pierwsze małżeństwo. I dlatego uważam, że pomimo wstydu muszę o tym mówić. Wstydu – bo przede wszystkim ofiary biorą na siebie wstyd tych swoich oprawców, przecież to im zmienia się komputerowo głosy, siedzą tyłem, żeby kamera nie pokazała twarzy. Ja tak nie chciałam. Zrozumiałam, że dla dobra innych ofiar muszę pokazać wizerunek, bo tylko wtedy nabiorą odwagi. To oprawcy mają się bać, a nie ofiary, i trzeba o tym mówić. Gdyby ktoś zareagował kilkadziesiąt lat temu – sąsiedzi, rodzina – moje życie na pewno wyglądałoby inaczej.

Jednymi to wstrząśnie, inni będą gadać.

Wie pan, kiedyś w internecie pod jednym z moich wywiadów jakiś chłopak napisał, że bogacę się na takich historiach, że to wszystko jest przeze mnie wymyślone, że zbijam na tym kasę. Odpisałam mu, że oddałabym mu wszystkie pieniądze, jakie miałam z mojej książki, i moje życie w prezencie, niech sobie to weźmie.

9 lutego 2011 roku

BĘDĘ SILNA, ŻEBY ON MÓGŁ ODPOCZYWAĆ

[Ewa Komorowska]

Nazywam się Ewa Komorowska. Kiedy muszę, mówię o sobie „jestem wdową po Stanisławie Komorowskim, wiceministrze obrony narodowej”, ale dla siebie – jestem żoną Stanisława Komorowskiego. Tak się stało, że w ostatniej chwili przyłączył się do lotu, który skończył się śmiercią wszystkich, ale nie mam o to do nikogo pretensji. Włączyłam telewizor i potem już sekunda po sekundzie oglądałam to, i pamiętam Jarosława Kuźniara, gdy powiedział, że to już jest pewna wiadomość i że wszyscy zginęli. Nie pamiętam, kiedy po raz pierwszy, spadając w czarną czeluść rozpaczy, w nieznaną, potworną otchłań bez dna, przypomniałam sobie, że jednak mimo wszystko muszę myśleć głównie o nim. Że muszę się w takiej sytuacji uśmiechnąć do tej odchodzącej ukochanej osoby i powiedzieć: „Idź w spokoju, będzie dobrze”.

Kiedy będzie dobrze?

Już jest dobrze. Zawsze będzie dobrze. Życie zaskakuje. Nie można się przygotować na to, że ktoś odejdzie. Nie można przewidzieć, jak się na to zareaguje. W tej chwili wiem, że jestem tu i teraz, że rozmawiamy i że to jest dobra chwila w moim życiu. Składam swoje życie z takich dobrych chwil. To jest niezwykłe – kiedy spojrzymy na życie jak na przechodzenie z chwili w chwilę, okaże się, że one w większości są dobre. A te, które są trudne, to po prostu momenty, które trzeba przetrwać. Jak w chorobie, kiedy – mimo że cierpimy – włączone są mechanizmy przetrwania, czekania i pewnego dnia znów jest dobrze.

Tamte dni były dniami tak wielkiego cierpienia, że ono wypełniało całe moje życie. Nie było nawet miejsca na strach, który jest chyba ze wszystkiego najgorszy. Życie było wypełnione bólem. I już. A potem zaczęły się pojawiać światełka. Chwile, w których człowiek nagle czuje, że mimo tego strasznego bólu może się uśmiechnąć do dziecka, może się roześmiać z żartu, nawet gdy ten żart jest makabryczny. Że życie się wdziera w ten ból i smutek. Wdziera się coraz bardziej.

Czym w takim razie jest żałoba?

Nie wiem. Myślę, że każdy przeżywa ją inaczej. Zastanawiałam się na przykład nad tym, czy kiedy przyjdzie lato, będę ubierać się na czarno. Myślałam: po co, przecież to tylko jakieś uzewnętrznianie, oświadczenie: „Świecie, wiedz, że jest mi smutno". Ale to się dzieje gdzieś głębiej: idziesz do szafy i czujesz w sobie, że nie możesz sięgnąć po żaden żywy kolor, nawet po jakieś biele i pastele. To się po prostu nie zgadza. I nagle przekonujesz się, że te czernie otulają, że opisują mnie trafnie nie tylko dla świata, ale nawet dla mnie samej. I że można mieć na sobie czerń, a jednocześnie uśmiech na twarzy.

Kiedy zgodzisz się na słowo „wdowa”?

Nie myślę o tym, niczego nie planuję. Każdy, gdy słyszy o takim nieszczęściu, pyta sam siebie: jak bym zareagował? Większość odpowiada sobie pewnie: „To by mnie zabiło”, „Tego bym nie przeżył”. Kiedy to się komuś przytrafi, nasze współczucie jest przeogromne, ale nie mamy pojęcia, co to jest za szok, w chwili gdy taka informacja spada na człowieka. Otóż ja już wiem, jak to wygląda z drugiej strony. Przeżywam to bez żadnego przygotowania, a więc bez żadnej rutyny, i jedyne, co mogę zrobić, to po prostu obserwować, uczyć się. Także na wypadek, gdybym kiedyś mogła nieść pomoc komuś w takiej sytuacji. I jeśli mnie teraz zapytasz, kiedy przestanę ubierać się na czarno i być może nazwę się wdową, odpowiem, że nie wiem, bo zrobię to wtedy, kiedy to się stanie.

Na tej drodze dwa punkty są chyba najtrudniejsze. Przetrwać myśl, że krzesło w kuchni nigdy już nie będzie zajęte. Drugi – gdy kończy się okołośmiertna krzątanina, cmentarz, pogrzeby – a świat biegnie dalej. Kolejni ludzie giną, znajomi, którzy zbiegli się na alarm, wracają do swoich zajęć.

Tu znowu ratunek niesie umiejętność bycia tu i teraz. Nierozmyślania o tym, że to krzesło już nigdy nie będzie zajęte. Wciąż mieszkam w naszym domu, w którym spędziliśmy ze Staszkiem piękne lata, i wiem, że sytuacji, w których to krzesło było puste, było dużo – mąż był bardzo zajęty, pracował, często nie było go w domu. Dziś po prostu nie myślę o tym, że on za tę godzinę nie przyjdzie. A jednocześnie przez to, że wiem, iż go naprawdę nie ma, on ze mną jest jeszcze intensywniej. Bo wierzę, że teraz może być wszędzie, a jeżeli może być wszędzie, na pewno jest blisko mnie. Kiedy był w pracy, nie mogłam z nim rozmawiać, mogłam zadzwonić, ale był bardzo nieobecny. Teraz jest ze mną.

Jeśli zaś chodzi o krzątaninę – ona rzeczywiście pomaga przetrwać ten czas. Nie nazwę go najtrudniejszym, bo nie wiem, czy nie przyjdzie jeszcze jakiś straszny kryzys, nie obudzi się nagle jakiś ból. I na koniec tej krzątaniny też można spojrzeć z dobrej strony. To jest dobre, że na początku wszyscy są blisko, jest zamieszanie wokół tego wydarzenia, ale przychodzi też czas na to, by postarać się odzyskać spokój samemu z sobą. Moment, w którym powoli wycofują się ci, którzy świadczyli mi pomoc przez dwadzieścia cztery godziny na dobę, przede wszystkim dzieci, które się wprowadziły do mnie, do nas, i zaprowadziły własny porządek, czyli totalne zamieszanie. Pamiętam te momenty, kiedy miałam ich przy sobie krzątających się, rozmawiających i ogarniało mnie jakieś niewysłowione szczęście, że oni siedzą przy moim stole, że mnie kochają, że rzucili wszystko, żeby być ze mną, że płaczą albo starają się mnie ożywić, rozśmieszyć i że są.

Gdy słucham tego, co mówisz, przekorna natura podpowiada mi: „To nie może być prawda". Opowiadałaś w jakimś wywiadzie, jak fantastyczne mieliście małżeństwo, jak odnaleźliście się w nim po poprzednich, mniej udanych związkach, z jaką pogodą obudziłaś się tego ranka, uświadomiłaś sobie, jak bardzo jesteś szczęśliwa w tej relacji. Później ten cios i teraz ty, w której nie ma cienia rozpaczy. Naprawdę nie było ciemnych stron? Śmierć to jest przemoc, coś, co niszczy ludzi.

To, że jestem pogodzona, nie znaczy, że nie cierpię. Nie znaczy, że nie tęsknię. Że nie przychodzą momenty, kiedy strasznie płaczę. Tylko że to jest też moje tu i teraz. Nie uogólniam tego, nie rozciągam na całe swoje życie. Nie mówię: „Teraz jestem nieszczęśliwa i już tak będzie, bo będę zawsze sama". Kiedy przychodzi w tym moim tu i teraz moment straszliwego cierpienia, kiedy to, co się stało, do mnie dociera albo jestem po prostu sama i bardzo mi z tym źle, wtedy cierpię. Tak uczciwie i tak strasznie mocno kochałam męża, że nie muszę pokazywać smutku, nie muszę utwierdzać świata zewnętrznego ani nawet samej siebie w jakimś przekonaniu. Myślę, że gdy on widzi te chwile, w których się śmieję, patrzy tam na mnie, myśli sobie: „Jak dobrze". Nie chciałabym, żeby mój mąż patrzył na moją rozpacz. Mam nadzieję, że jeśli zdążył pomyśleć o mnie, pomyślał dobrze. Nawet jestem pewna, bo nie musiał pomyśleć niczego takiego, że czegoś mi nie powiedział, że czegoś mi nie dał, może pomyślał tylko, że mnie opuszcza, i to musiało być dla niego strasznie trudne. Chcę sobie dawać radę, żeby on mógł odpoczywać.

Będąc w Smoleńsku, zastanawiałaś się, co było tą jego ostatnią myślą?

Ta brzoza, w którą uderzył samolot, jest naprawdę daleko od miejsca, w którym się rozbił. Rośnie w jarze, w obniżeniu, jest rzeczą oczywistą, że samolot, kiedy w nią uderzył, już leciał lotem wznoszącym, że oni już wiedzieli, że już usiłowali uciec. Nie zdążyli, bo samolot się obrócił po tym uszkodzeniu... Człowiek liczy, wyobraża sobie, ile było tych sekund. Ale Smoleńsk to było niezwykłe doświadczenie, bo ja właściwie jeszcze nie rozumiem, na czym polega to *katharsis*, którego myśmy, jadąc tam z pielgrzymką, niewątpliwie doznali. Myślę, że to nie przechodzi przez rozum, że to się dzieje w sercu. Ta ulga przyszła. Pewien rodzaj pożegnania, dotknięcia tego miejsca, spotkania się z tą chwilą śmierci.

Czy śmierć kogoś bliskiego to moment, który tylko przerywa marzenia, czy może też tworzy nowe? Nauczyłaś się codziennej układanki, a czy masz śmiałość, by powiedzieć sobie, czego byś teraz chciała, dla siebie?

To jest naprawdę trudne pytanie. Myślę, że nie mam marzeń. Wierzę, że życie przyniesie mi coś wartościowego. Wciąż przynosi.

Bo gdybyś mnie zapytał dwa miesiące temu, czy marzę o pielgrzymce do Smoleńska, powiedziałabym: „Nie wiem, o czym mówisz". Sześć tygodni temu wpadłam na ten pomysł, a dzisiaj jestem trzy dni po pielgrzymce. Kiedy tam byłam, patrzyłam naokoło i myślałam sobie: „Czy to się dzieje naprawdę?".

W jakiej mierze to życie będzie czekaniem na spotkanie z mężem, którego tak bardzo kochałaś? Czy tam będzie w ogóle miejsce na coś jeszcze?

Nie jestem pewna. Odwrotnie: jestem pewna, że to nie ja piszę swoje życie. Chciałabym umieć je czytać tak, jak jest napisane. I może to właśnie stąd owo tu i teraz, bo jak czytamy książkę, nie zaglądamy na koniec... Nie, racja, czasem zaglądamy z bardzo wielkiej ciekawości, ale coś sobie tym zwykle psujemy, prawda? Więc jesteśmy na tej stronie i na tym zdaniu, które jest teraz. Dziś jestem na tej stronie i na tym zdaniu. Wiem, że w moim życiu najważniejsza jest miłość.

Gdy cię słucham, myślę, że jedyne, co można zrobić ze śmiercią, to być na nią gotowym. Jak żyć, żeby być gotowym na śmierć? Swoją, kogoś bliskiego, bo to nieuchronne.

Myślę o śmierci w życiu. Bo to jest przecież część życia. Myślę, że gdzieś w sercu jestem gotowa na to, że to się może wydarzyć. Mój mąż zawsze mówił, że będzie żył sto dwadzieścia lat, i myślę, że gdyby nie ten wypadek, pewnie mogłoby tak być. Był mocny, silny, energiczny, życie tętniło w nim nieprawdopodobnie. Powtarzał: „Będę żył sto dwadzieścia lat i ty będziesz żyła ze mną". Obliczaliśmy, że ja wówczas będę musiała dożyć stu czternastu i pół, kłóciłam się z nim, że bez przesady, że tyle nie uciągnę, ale z drugiej strony nie chciałam mu sprawić zawodu. To nie tak, że to gotowość na śmierć czyniła nasze życie takim dobrym. Myślę, że najważniejsze jest to, by nie popadać w rutynę. Miłość jest jak spore konto w banku. Sądzę, że wiele osób sobie myśli: „Mamy furę kasy, będziemy wydawać, szaleć, mamy bogactwo, które nigdy się nie skończy". Pewnego dnia okazuje się, że jest przeszastane, że w tym banku nie ma ani grosza. Dla mnie miłość to jest właśnie takie konto, które trzeba po prostu czujnie obserwować, patrzeć, co zrobić, by je wciąż, drobnymi kroczkami pomnażać. To są codzienne sprawy. Kiedy mąż wraca do domu z pracy, nie wołać z drugiego pokoju: „Cześć, już jesteś?", tylko do niego wyjść, wybiec, tak jakby przyjechał z długiej podróży, wziąć od niego rzeczy, utulić, wysłuchać, rozmawiać i po prostu się starać, bo czasem to jest spontaniczne i naturalne, a czasem się trzeba podnieść, od czegoś oderwać, żeby to zrobić. A później to już jest po prostu oczywiste.

Wciąż okazujesz miłość mężowi?

Tak. Rozmawiam z nim, wieszam sobie jego zdjęcia w różnych miejscach, one bez przerwy spadają, ja je podnoszę... Ktoś mówi: „No weź to jakoś przyklej lepiej, żeby ci nie spadało", a ja mówię: „On spada, bo chce też coś do mnie powiedzieć". Więc go podnoszę, wieszam z powrotem i tak sobie ze Staszkiem rozmawiamy.

O czym rozmawialiście dzisiaj?

Powiedziałam mu, że jest taki program, który zawsze oglądałam z ogromnym przejęciem. Myślałam, że w tym programie są niezwykli ludzie, którzy mówią przejmujące, ważne rzeczy, a nigdy mi nie przyszło do głowy, że ktoś od ciebie zadzwoni i ja też w nim będę. Specjalnie bym się do tego nie rwała, bo program jest raczej o smutnych rzeczach, więc nie mogę też powiedzieć, żebym marzyła o tym, by tu wystąpić. [*śmiech*]

13 października 2010 roku

[illegible] [illegible]

Tak [illegible]

[illegible] [illegible]

[illegible] [illegible]

[illegible] [illegible]

DOTKNĄĆ, POMODLIĆ SIĘ, ROZGRZESZYĆ

[ks. Henryk Błaszczyk]

Nazywam się Henryk Błaszczyk. Jestem proboszczem na małej warmińskiej wsi, w Klebarku Wielkim koło Olsztyna. Po porannej modlitwie włączyłem wiadomości i ta nieprawdopodobna informacja o katastrofie polskiego samolotu. A później wezwanie do natychmiastowego wyjazdu do Warszawy, na lotnisko, do zabrania najpotrzebniejszych rzeczy i bycia do dyspozycji rodzin i tych, którzy już nie żyją. Ja nie pojechałem tam po to, by identyfikować, pojechałem, by być przy bliskich ofiar tej katastrofy, by ich wspierać, by stworzyć przestrzeń duchowego ukojenia w postaci kaplicy, dostępu do duchownych. By także być przy tych zmarłych, pomodlić się nad nimi, ofiarować ich Bogu. Stamtąd zostają tylko obrazy, teraz jest epoka słów. Na pytania: „Dlaczego tak się stało?", „Dlaczego Bóg mi to zrobił?", już nie szukam odpowiedzi.

Ale rodziny dziewięćdziesięciu sześciu osób nie wiedzą, dlaczego Bóg zrobił im to, co zrobił. Co im powiedzieć?

Pytanie „dlaczego?" pojawia się na samym początku. To moment niedowierzania – nie możemy zrozumieć, jak ktoś, kto wyszedł rano z domu, po południu do niego nie wraca. Osób, które trudzą się nad odpowiedzią, w tak różnych gremiach i rozlicznych okolicznościach jest wiele.

A nie zalewa księdza, tak po ludzku, krew, gdy widzi ksiądz, jak przy tej okazji owe gremia biorą się za łby? Nie ma ksiądz poczucia, że to już nie tylko brukanie majestatu, ale wręcz prostytuowanie śmierci?

Widzę odzieranie śmierci z należnej jej powagi. Z szacunku, jakim ją otaczamy, bo nic tak naprawdę o niej nie wiemy, poza tym, że jest nieuchronna. Gdy ci, którzy umierają, wchodzą w tajemnicę, my powinniśmy przez respekt dla nich ściszyć głos. Dostrzegam też w tych posmoleńskich dyskusjach obrazy nie odpowiadające prawdzie. Ci, którzy tam byli, mieli dostęp do informacji, wiedzą, co się tam wydarzyło, pamiętają, co słyszeli, co przeczytali, i dziś konfrontują to z manipulacjami, posądzeniami, tendencyjnymi, zaskakującymi teoriami.

Mówi ksiądz o podejrzeniach, że być może Rosjanie, by nas dodatkowo upokorzyć, złożyli nie te co trzeba szczątki do nie tych co trzeba trumien.

Wzbudzanie obawy o to, czy w tej trumnie rzeczywiście leży moja córka, mój ojciec czy mąż, to nie tylko brak odpowiedzialności, to znęcanie się nad kimś, kto i bez tego bardzo cierpi. Ale też trzeba powiedzieć wyraźnie: zespół duchownych, lekarzy, psychologów, ratowników Lotniczego Pogotowia Ratunkowego nie pojechał do Moskwy po to, by dokonywać identyfikacji ciał, wszyscy tam byliśmy po to, by wspierać rodziny w tym trudnym dla nich procesie znalezienia, to jest rozpoznania bliskich i sprowadzenia ich do domu. Nikt z nas, wspierających rodziny, nie może dać w sposób odpowiedzialny gwarancji, możemy co najwyżej mieć w sobie przeświadczenie, że ich najbliżsi są w tych trumnach, ale pewność mogą mieć tylko oni, bowiem wielu z nich, pamiętając swoich bliskich, mogło w sposób nie budzący wątpliwości dokonać identyfikacji i poświadczyć formalnie swoje przekonanie.

Politycy przekonują, że oni tylko wyrażają głośno lęk, o którym nie mają odwagi mówić rodziny.

Mamy prawo debatować nad kwestiami technicznymi, relacjami polsko-rosyjskimi, kontekstami historycznymi, nad czym tylko sobie chcemy, ale nad ciałami i trumnami powinien panować spokój. Ci, co nad nimi krzyczą, grają w brutalną, brudną grę. Każde otwieranie trumny dzisiaj jest najboleśniejszą rzeczą, jaką możemy wyrządzić bliskim. Ci, którzy byli przy identyfikacji, ci, którzy zdecydowali się na bezpośrednią konfrontację z ciałem osoby, którą kochają, wiedzą, w jakim te ciała były stanie. My wiemy też o pozostałych ciałach, niezintegrowanych, a jednak zdekodowanych za pomocą badań DNA, z największym poczuciem odpowiedzialności. Wiemy, że otwarcie trumien i skonfrontowanie się z tym obrazem byłoby szalenie trudne, bolesne i chyba nie do zapomnienia, ale też musimy pamiętać o tym, że rodziny mają prawo do ekshumacji, lecz mogę tylko prosić, aby uprawniona wola ekshumacji nie była aktem w dyspozycji politycznej czy w publicznym oglądzie – to jest strefa ciszy i daleko posuniętej prywatności.

Skąd ksiądz wziął się w moskiewskim instytucie, gdzie badano szczątki ofiar?

Oprócz tego, że na co dzień jestem zwykłym diecezjalnym proboszczem, jestem też kapelanem służb ratowniczych. Zadzwonił telefon, poproszono, bym towarzyszył rodzinom ofiar, gdy pojadą identyfikować zwłoki. Byłem wstrząśnięty, w tym rozbitym samolocie byli ludzie, których uważałem za przyjaciół. Zacząłem modlić się za nich, za rodziny, które zostawili. Dobrze się stało, że byliśmy z rodzinami od początku. Już w samolocie były pierwsze rozmowy, trudne pytania, szukanie odpowiedzi albo zwykłe milczenie, po prostu bycie ze sobą, obok siebie. Późną nocą dotarliśmy do hotelu, wcześnie rano pobudka i przygotowanie się do najtrudniejszego – procedury identyfikacji. Staraliśmy się najlepiej, jak potrafiliśmy, ani na chwilę nie przestać być blisko rodzin ofiar.

Byliście też blisko samych zmarłych.

Po raz pierwszy się z nimi spotkałem, gdy wszedłem na ogólną salę, gdzie umieszczono ciała już po pierwszym etapie identyfikacji, po sekcji zwłok. Bezmiar ciał, mimo że człowiek racjonalnie zdaje sobie sprawę, że ich liczba jest arytmetycznie zamknięta. Ale gdy zobaczyłem tę ogromną salę... Wyłożyłem paramenty liturgiczne na jeden ze stołów sekcyjnych, odprawiłem pierwszą modlitwę za zmarłych, chciałem dać wyraz temu, że Kościół jest z nimi, że nadal będzie ich wspierał. Pamiętam cios, jakim był dla mnie ten obraz, pamiętam zapach, przerażenie i świadomość, że bliscy, którzy tam u góry czekają, za chwilę będą musieli skonfrontować się z czymś, czego się spodziewają, czego się boją, ale też czego bardzo chcą. Bo pragną znaleźć osobę, którą kochają, i sprowadzić ją do kraju, do swoich, pochować ją w rodzinnej ziemi. Dla spełnienia tego pragnienia warto było podjąć każdy wysiłek.

Jest ksiądz kapelanem ratowników, ale jednak nie lekarzem. Nie miał ksiądz zajęć w zakładzie medycyny sądowej. Staje ksiądz wobec zmasakrowanych szczątków tych, których wszyscyśmy znali, wiemy, jak jeszcze kilkanaście godzin temu wyglądali. Nie miał ksiądz ochoty uciec? Rozpłakać się?

Nie. Opatrzność Boża tak to ułożyła, że z ludzkim umieraniem, ze śmiercią mam kontakt od początku swojego kapłaństwa. Najpierw z przyjaciółmi założyliśmy hospicjum, ośrodek medycyny paliatywnej. Przez pięć lat byłem tam kapelanem, na moich rękach umarło już tak wiele osób i tak dużo widziałem śmierci, tyle osób odprowadzałem do kaplicy... Jest jedna prawidłowość w tym ludzkim umieraniu. Przez tych wiele lat osobistego towarzyszenia odchodzącym zauważyłem, że ci, którzy odchodzą pojednani ze sobą, z rodziną, z Bogiem, odchodzą bardzo spokojnie. Ma się wrażenie, że zasypiają, że nawet gdy się ich odprowadza do kaplicy, jakby jeszcze jakieś światło w nich się tliło, jakby dało się uchwycić tę zanikającą powoli godność osoby ludzkiej. A ci, którzy nie akceptują tego, że śmierć jest nieuchronna, odchodzą niepogodzeni, z żalem do bliskich, że oni zostają żywi; jeżeli odchodzą w jakimś akcie agresji, niezgody, niepojednania z Bogiem – jakkolwiek by sobie tego Boga wyobrażali, jako gwarancję wieczności, wolnej od śmierci, od bólu, od cierpienia – odchodzą boleśnie, dla mnie strasznie. Są – nie umiem znaleźć lepszego słowa – zamknięci. Nawet gdy nie zdąży się dłoni wyciągnąć z ich dłoni, szybko sztywnieją, kamienieją, popieleją w oczach, są pełni przerażenia. Dlatego tak ważne jest przygotowywanie ludzi na śmierć, tak zwane apostolstwo dobrej śmierci.

Ofiary smoleńskiej katastrofy miały sekundy, żeby o tym pomyśleć.

Na pokładzie było wielu kapłanów. Byli biskupi i oni z pewnością nie myśleli tylko o sobie, ale udzielili szybkiej absolucji, aktu pojednania tych ludzi z Bogiem... Myślę, że to był ich odruch, gdy zauważyli, że samolot leci jakoś dziwnie, że ścina czubki drzew. To w nas, kapłanach Chrystusa, jest automatyczne. Gdy przejeżdżam koło miejsca wypadku, moją pierwszą myślą jest, żeby wzbudzić w sobie akt pojednania tego człowieka, który umarł albo jest ciężko ranny, z Bogiem. Wypowiadam formułę rozgrzeszenia, patrząc w kierunku ciała. Dwa dni temu wracałem z Warszawy, tuż przede mną zdarzył się wypadek – młody człowiek potrącony przez tira zginął na miejscu. Pierwsza rzecz, o jakiej pomyślałem, to że muszę się zatrzymać, dotrzeć tam, dotknąć tego ciała, pomodlić się nad nim, udzielić absolucji.

Z tego, co ksiądz mówi, nie wyczytałem jeszcze, że te częste kontakty ze śmiercią wykształciły w księdzu jakąś rutynę. Rozpłakał się ksiądz w tej Moskwie? Nie wiem... Krzyknął w środku: „Boże, dlaczego?!".

Mam trudności z mówieniem o swoich emocjach. Wie pan, ja aż do tej chwili byłem przekonany, że praca na misjach humanitarnych, pobyt na Haiti, grzebanie ciał przywożonych ogromnymi ciężarówkami, ofiary wojny gruzińsko-rosyjskiej, szpital polowy w Gori, ofiary wybuchających min pozostawionych przez Rosjan, że to wszystko w jakiś sposób mnie już ze śmiercią...

Oswoiło.

Przyzwyczaiło do niej. W Smoleńsku zrozumiałem, że nie. Może dlatego, że to byli bliscy, może dlatego, że rodacy, może dlatego, że przyjechałem z matkami, córkami, z ojcami, że oni byli tam u góry, ja byłem na dole i zaraz musiałem do nich wrócić. Bardzo głęboko to przeżyłem. I dobrze. Bo gdy ja czuję, łatwiej mi będzie zrozumieć tych, którzy za chwilę poczują to samo.

Ludzie z tego samego zespołu opowiadali, że jedną z ważniejszych wskazówek, jaką dawano bliskim, było uświadomienie im, że mają wykonać pewne zadanie. To naprawdę w takich sytuacjach pomaga?

Do czasu. Najtrudniejsze przychodzi później, nie w momencie, w którym muszę zebrać w sobie wszystkie siły, przeskoczyć tę poprzeczkę, skonfrontować się z obrazem, którego się spodziewam, a który jest trudny, i powiedzieć „tak" lub „nie", gdy mnie zapytają, czy to mój ojciec albo matka. Najtragiczniejsze przychodzi później.

Co można zrobić, stojąc przy ludziach, kiedy wyszli już z tej sali i rozsypują się w miliony kawałków? Przytulić? Dać krzyż do całowania? Mówić słowa psalmu?

Stworzyć kaplicę, wystawić Najświętszy Sakrament. Na ołtarzu złożyliśmy wzięte z prasy zdjęcia ofiar, każdy, kto wchodził, mógł znaleźć twarz osoby, którą kochał. Na tym ołtarzu sprawowaliśmy codziennie Mszę Świętą, a przez cały czas identyfikacji w instytucie był wystawiony Chrystus zmartwychwstały. Który przeszedł przez śmierć, Ten, który przenosi naszą uwagę na perspektywę wieczności wolnej od śmierci...

Nie wszyscy podzielają tę wiarę.

W takich chwilach się o to nie pyta. Do instytutu przyszły siostry zakonne z Moskwy, Polki, chciały służyć pomocą i tym, którzy wierzą, i tym, co nie wierzą, pomagały w tłumaczeniu, ale przede wszystkim były – jako rodaczki, ludzie, którym w tym samym języku można powiedzieć, co się czuje. Wierzący i niewierzący, wszyscyśmy wtedy budowali opartą na szukaniu spokoju w tym braku spokoju wspólnotę nadziei.

Nie wystawię Najświętszego Sakramentu, nie wezwę sióstr. Co w zetknięciu ze śmiercią i bliskimi zmarłego może zrobić zwykły człowiek? Podejść, przytulić, dotknąć? Powiedzieć: „Wszystko będzie dobrze, ten, kto umarł, na pewno jest u Pana Boga"?

Najgorsza rzecz to zawiesić swoje relacje z bliskimi zmarłego, uciec od nich, bojąc się przyznać, że nas śmierć przeraża. A to jest właśnie temat, w który trzeba wejść. Trzeba sobie wcześniej w głowie zaszczepić tę myśl: co będzie, kiedy umrze ktoś mi bliski, a jak bym chciał, żeby było, gdy sam będę odchodził. A gdy śmierć się gdzieś w okolicy pojawi – trzeba być. Śmierć sprawia, że brakuje obecności, wtedy trzeba być. Nie bać się tego, że zrobimy coś niezgrabnie albo coś nie tak powiemy, a ten człowiek gwałtownie zareaguje. Ma do tego prawo. Najważniejsze, żebyśmy w tym momencie byli, a nie skupiali się na tym, żeby wszystko było zgrabnie, pięknie. Proszę mi wierzyć, że ludzie, którzy cierpią z powodu rozstania z kimś bliskim, pamiętają najmniejszy gest obecności, dotyku, spojrzenia, uśmiechu, nawet przez łzy. Te drobne, proste gesty są później szalenie ważne w przeżywaniu żałoby – w nich się znajduje pocieszenie.

Nie prześladują księdza te obrazy z Moskwy? Nie budzi się ksiądz w nocy, przypominając sobie, co ksiądz wtedy widział?

Trudno mi sobie wyobrazić, by ktokolwiek, kto tam był, był dziś wolny od tego, co przeżył. Nie mam wątpliwości, że najbardziej z całego zespołu zaangażowana była pani Ewa Kopacz.

Zapamiętywała każdy fragment ciała, szła do góry, dopytywała o znaki szczególne. Później wracała na dół i znów konfrontowała się z tą wielością ciał. Zapamiętywała kolejne szczegóły, zapisywała to na swoim „twardym dysku" pamięci, po czym znów wracała na górę. Bardzo chciała ochronić rodziny, żeby mogły zobaczyć tylko jedno ciało, nie dwa, nie trzy lub cztery, bo każde następne okazanie było straszne. Ona wzięła to wszystko na siebie, i to nie przy jednej, ale przy całym mnóstwie ofiar. Wykonała tam tytaniczną pracę. Bałem się o jej zdrowie, a ona wciąż pytała: „Co jeszcze możemy zrobić, żeby pomóc tym rodzinom?".

Które to rodziny i tak w końcu się skłóciły. A może trudno zachować powagę, kiedy wszystko w człowieku woła, że trzeba pomścić?

Proszę mi wierzyć, że znaczna większość rodzin nie szuka dziś zemsty, szuka spokoju. Ich boli to ciągłe bycie na świeczniku, spory, kłótnie, upublicznianie wysokości odszkodowań, wystawia ich to na złe komentarze w niezbyt bogatym społeczeństwie. Znam rodziny, które skrzyknęły się i razem chcą zgłosić postulat, by stworzyć prawo regulujące kwestie odszkodowań dla osób, które w takich katastrofach tracą bliskich. Myślą też o stworzeniu ośrodka dla pacjentów w śpiączkach mózgowych. Kluczem jest dla nich słowo, które im odebrano – „powrót". Chciałyby, by powstał ośrodek psychoterapii dla osób, które przeżywają rozstanie w wyniku śmierci bliskich. Może wręcz cały narodowy instytut ratownictwa i psychotraumatologii katastrof – zespół, który byłby gotowy na podejmowanie wyzwań, wobec których oni stanęli. Dawał pomoc nie tylko doraźną, ale rozłożoną na lata. Jedna z moich znajomych powiedziała mi ostatnio po rozmowach z tymi rodzinami: „Byłam przekonana, że potrzeba będzie co najmniej dwóch, trzech lat, zanim bliscy ofiar dojdą do tego, że nie chcą być tymi, którzy biorą, ale przez to tragiczne doświadczenie chcą stać się tymi, którzy dają".

W czasie smoleńskiej żałoby podnoszono też zarzut, że Kościół ją sobie zawłaszczył. Tłumaczono, że ponieważ Polacy nie znają innych niż religijne sposobów przeżywania tej rzeczywistości, nieproszeni przejęliśmy niejako pośmiertną odpowiedzialność i za buddystów, i za niewierzących.

Rozmawiałem w Moskwie z bliskimi tych ofiar, które publicznie deklarowały niewiarę albo daleko posunięty dystans wobec Kościoła w różnych jego aspektach. Mówili mi, iż cieszą się, że w takich chwilach jest z nimi ksiądz. Dziękowali za to, że poświęciłem ciało, włożyłem do ręki różaniec. Kiedy później byliśmy na pielgrzymce smoleńskiej, tej pierwszej, była Msza święta na lotnisku w Witebsku i była ona dobrowolna: część bliskich w niej nie uczestniczyła, bo nie podzielała przeświadczenia, że jest możliwe zmartwychwstanie ciała i świętych obcowanie, część była po prostu zmęczona, część wzięła udział, bo chciała swoich zmarłych powierzyć Panu Bogu. Między tymi grupami nie było ani cienia jakiegoś sporu, przeciwnie – pełen szacunek, troska, zrozumienie, najpiękniejsze ludzkie reakcje. Tam zginęli przedstawiciele społeczeństwa, które jest społeczeństwem różnych poglądów, wartości i wyborów.

Nie mogę nie zadać księdzu pytania, które w pierwszych chwilach po katastrofie cisnęło się na usta wielu Polakom: gdzie był Bóg o 8.41 10 kwietnia 2010 roku?

Pytanie o to, gdzie jest Bóg, gdy ludzie doświadczają cierpienia, na przestrzeni dziejów rodzaju ludzkiego padało wielokrotnie. To pytanie przytoczył także w czasie swojej wizyty w Polsce Benedykt XVI. W obozie Auschwitz-Birkenau mówił tak: jedno wiem, gdy pytam, gdzie był wówczas Bóg – nie było Go w sercach oprawców. Tu sytuacja jest inna: wypadek – katastrofa lotnicza.

W Moskwie, otoczony zdezintegrowanymi ciałami ofiar tej katastrofy, zadawałem sobie to pytanie często. Nie umiem znaleźć innej odpowiedzi: Bóg wówczas był z każdą z tych osób, bowiem i w życiu, i w śmierci należymy do Pana, w życiu, w cierpieniu i w śmierci jesteśmy Chrystusowi. Głęboko w to wierzę.

Gdyby ksiądz mógł, co powiedziałby ludziom, którzy czuliby, że za chwilę zginą? „Przepraszam, to już koniec"?

Może: „Przyjdźcie do Mnie, którzy obciążeni i utrudzeni jesteście, a Ja was pokrzepię", a może: „W domu Ojca mego jest mieszkań wiele. Gdyby tak nie było, tobym wam powiedział. Idę przecież przygotować wam miejsce"? Może wcześniej zdążyłbym im przypomnieć, że przecież wszyscy umieramy, że w każdej chwili trzeba być gotowym, żeby przyjąć dar śmierci? Na pewno skierowałbym swoją myśl ku miłosierdziu Bożemu, wypowiadał formułę rozgrzeszenia.

Jest ksiądz gotowy dzisiaj umrzeć?

Nie, bo jestem człowiekiem grzesznym. Ale jeżeli miałbym pewność, że Bóg nie będzie zważał na moje grzechy i w swoim miłosierdziu pozwoli wydoskonalić się w owym ogniu oczyszczenia, to proszę bardzo.

Nie ma ksiądz takiej pewności? Jeśli ksiądz nie ma – kto ma mieć?

Duchownym niby łatwiej umierać. Mamy inny kontekst społeczny – inaczej się umiera, gdy ma się dzieci, gdy jest w domu żona, do której chce się wrócić, którą się kocha, do której się tęskni, którą się pamięta. Choć z drugiej strony – będąc duchownym, kocha się ludzi, których spotyka się w Kościele, bo Kościół to taka poszerzona rodzina. Gdy się kocha, trudno się umiera.

Jak chciałby ksiądz umrzeć?

Fiat voluntas tua. Niech się stanie Twoja wola, Panie. Myślenie o tym, jak mam umrzeć, byłoby wodzeniem Boga na pokuszenie.

Dlaczego?

Dlatego że i w życiu, i w śmierci należymy do Pana.

Boi się ksiądz tego momentu?

Nie. I boję się, że mój brak lęku przed śmiercią jest nieprzyzwoity.

9 lutego 2011 roku

MOŻE SŁOŃCE BY JĄ ZATRZYMAŁO

[Anna Malarowska]

Mam na imię Anka, jestem matką Magdy. Żyła tak zachłannie. Zrobiliśmy tyle, na ile nam pozwoliła. Zanim poczujesz cokolwiek, jest pustka. Bo że twojego dziecka już nie ma, intuicyjnie wiesz wcześniej. Nie przestajesz szukać, chcesz znów je przy sobie mieć, wiedzieć, że nie jest mu zimno, że jest już spokojne. Ale wewnętrznym zmysłem dostrzegasz, że ktoś był, ale odszedł, twój wzrok, słowo, myśl trafia w puste miejsce. W poniedziałek po jej śmierci była tak piękna pogoda, jaskrawe słońce. Pomyślałam, że gdyby doczekała, może to słońce zatrzymałoby ją jeszcze przy życiu.

Miałaś do niej żal?

Kiedy znaleźliśmy Magdę, ani przez chwilę nie chciałam robić jej wyrzutu, pretensji. Jeśli miałam żal, to nie do niej, ale nad nią. I nad sobą. Bo to, że ona sobie nie poradziła, oznacza, że ja nie dałam rady. Czego nie zrobiłam? Może wystarczyłoby, gdybym ją przytuliła, jak wtedy, kiedy była dzieckiem, gdybym przyszła do niej w nocy i położyła się koło niej? Dlaczego ten świat nie umiał być dla niej wystarczająco dobry? Ani rodzina, ani przyjaciele, ani to wszystko, co ją tak ciągnęło, świat literatury, innych kultur, języków? Magda do ostatniego dnia próbowała się zakorzenić, szukała coraz to nowych znajomych, sprawdzała, szukała, biegła od człowieka do książki, od książki do filmu, jakby miała mało czasu, żeby znaleźć część wspólną z tym światem. Widziałam, że szkoda jej było czasu na codzienną prozę, gotowanie, sprzątanie – ta sfera ją irytowała, bolała. Zachłannie przeglądała górne półki, to, co świat ma najlepszego, szukała czegoś, w czym mogłaby się zadomowić. Nie umieliśmy jej sprostać, niestety.

Bo nie mogliście wygrać z chorobą, o której nikt wam nie powiedział, że jest.

Po raz pierwszy ostrzegawcza lampka zapaliła nam się, gdy Magda miała rok, dwa lata. Napady płaczu, histerii, nieuzasadnione i nie do opanowania. Wyrywanie włosów, bicie głową o podłogę. Pojawiały się, znikały, nikt nie miał na to wpływu. Później uśpiliśmy czujność, bo wszystko się uspokoiło. Zanosiło się na to, że Magda będzie dzieckiem wycofanym, nieśmiałym. Do tego stopnia, że nie poszła do przedszkola. Nie nadawała się, kurczowo trzymała się mojej spódnicy. Pierwszy kontakt z większą społecznością miała w zerówce. Na tle rówieśników wyraźnie widzieliśmy, że Magda jest inna, nie wchodzi w relacje z dziećmi, jest na pozycji obserwatora. W późniejszych klasach zaczęła jednak działać w szkolnym teatrze, była scenarzystką, reżyserką, wymyślała oprawę muzyczną, miała tysiące pomysłów. Ona naprawdę tym żyła, to była jedyna sytuacja, kiedy nie bała się wyjść przed ludzi, w tym się odnajdywała, to było ujście jej emocji, twórczej energii, która ją rozpierała. Gdy poszła do gimnazjum, myślałam już sobie: „No i proszę, z dziecka, które sprawiało tyle zmartwień, wyrasta taki piękny człowiek". Większość znajomych skarżyła się na ten wczesny okres dojrzewania swoich dzieci, opowiadali, że same problemy, że tracą kontakt. Nie wiedziałam, o czym oni mówią, ani z Magdą, ani z pozostałymi dwiema córkami nigdy nie doświadczyłam takich kłopotów.

Żadnych, najmniejszych symptomów?

Nic poważnego. Poza tym gdy tylko wydawało nam się, że coś jest nie tak, szliśmy do psychologa. Choć te naście lat temu dostępność psychologów była inna, inny był stan ich wiedzy.

Kiedy odkryłaś, że coś jest nie tak?

Pod koniec gimnazjum Magda bardzo intensywnie się uczyła. Niektórzy rodzice byliby zachwyceni, mnie jednak wydawało się to trochę dziwne. Magda nie angażowała się już bowiem w nic, co działo się poza ścianami jej pokoju – ślęczenie nad książkami, intensywna nauka angielskiego, bo aspirowała do liceum z wykładowym językiem angielskim. Na nic nie miała czasu. Na wszystkie propozycje, zaczepki odpowiadała, że musi się uczyć. Uciekała od ludzi, barykadowała się w pokoju, wejście do niego zasłoniła kocem, odgrodziła się od świata. Później okazało się, że zmagała się z jakimś koszmarnym lękiem. Więcej o nim było pewnie w jej pamiętnikach, które wyrzuciła. Ja dowiedziałam się o nim z notatek, w których Magda powołuje się na te pamiętniki. Ten stan, ten lęk nazywała potworem. Pisze, że potwór jest z nią od jedenastego roku życia. „Pragnę nieskazitelnie pięknej duszy, mądrej, inteligentnej, ciepłej, takiej, która nie znałaby potwora. Bardziej od potwora nienawidzę jeszcze tego, co potwór powoduje. Potwór plus strach równa się samotność. Mam rodzinę, której obecność w większości wypadków usypia potwora, on jednak czuwa".

Potwór to ktoś inny niż ona, obcy. Agresor, który zalągł się i domaga się uwagi. Może Magda miała nadzieję, że sam sobie pójdzie, że go przeczeka.

Tak myślę.

Kiedy zrozumieliście, że nie obejdzie się bez pomocy?

Dramatycznie zaczęło się robić, gdy po maturze Magda zaczęła się okaleczać. Wcześniej były epizody depresyjne, pierwszy chyba w drugiej klasie liceum. Wtedy wprowadziłyśmy stałą kontrolę psychologa. Gdy było gorzej, Magda odzywała się do terapeutki, spotykała się z nią, te rozmowy trochę jej pomagały. Poważny epizod miał miejsce w klasie maturalnej jesienią. Poszłam porozmawiać do szkoły, bo Magda znów była w bardzo złym stanie, uciekała od kontaktów z ludźmi, zamykała się w pokoju, była smutna, nierozmowna. Dla niej najgorsze było to, że traciła koncentrację, nie była w stanie skupić się na czytaniu, na pisaniu, w zasadzie to, co było dla niej najważniejsze, nagle przestało być dostępne. Czytała i mówiła, że nie rozumie tego, co czyta, ma chaos w głowie. Chciała coś napisać, myśli się nie składały. Osoba, która doskonale pisze, która ma niezwykły talent do składania słów, nagle czuje się bezradna jak analfabetka i to ją dodatkowo pogrąża. To wszystko ma miejsce parę miesięcy przed maturą, więc Magda wpada w panikę. Ja oczywiście mówię: „To nie jest żaden dramat, bo jeżeli nie zdasz matury w tym roku, to zdasz ją jesienią albo w przyszłym roku, nigdzie się nie spieszysz. Ja się nie spieszę. Dajmy sobie po prostu czas, skupmy się na tobie, na tym, by ci w tej chwili pomóc".

Co ci powiedziano w szkole?

Mówiłam wychowawczyni, że z Magdą jest problem, że chodzimy do psychologa, że prawdopodobnie nie podejdzie do matury, i zapytałam, czy w ogóle ktoś zauważył, że dzieje coś niedobrego. Ale nikt niczego nie zauważył. Wszyscy byli zdziwieni, że z Magdą jest jakikolwiek problem. W trakcie matur znaleziono ją nieprzytomną na torach tramwajowych, ocknęła się jednak. W szpitalu nikt za bardzo się tym nie przejął. Jakimś cudem Magda się wtedy ogarnęła i zdała tę międzynarodową maturę. Zdała ją niemal doskonale – trzydzieści osiem punktów na czterdzieści pięć, ale zdecydowała, że będzie ją poprawiać. Jednak zaraz po maturze, jeszcze późnym latem, zaczęło się to cięcie, samookaleczanie i równia pochyła aż do pierwszej próby samobójczej. To był grudzień 2007.

Co się wtedy stało?

Jak umiałyśmy, szukałyśmy ratunku, chodziłyśmy z pielgrzymkami do różnych psychiatrów. Jeden z nich zapisał jej leki, które po miesiącu zażywania zostały wzmocnione – nie było efektu, więc zwiększono dawkę. Magda w końcu je przedawkowała, wzięła całe opakowanie. Pojechałyśmy do szpitala. Była tam trzy tygodnie. Zapisano inne leki. Polecono jej psychoterapię, ale odmówiła, powiedziała, że to był tylko epizod i da sobie radę sama.

Czy matka jest w stanie zrozumieć dziecko, które mówi: „Przepraszam, ale nie chcę już żyć"? Co się wtedy rodzi: rozpacz, lęk, bunt?

Wiesz, dopiero po jej śmierci dotarło do nas z całą mocą, jak bardzo Magda cierpiała. Kiedy porządkując jej pokój, odnajdujesz zeszyty i gdzieś pomiędzy notatkami szkolnymi nagle widzisz rysunek potwora, a obok jej myśli, w których chciała zawrzeć cały ten lęk, ból, cierpienie, to, co w niej tkwiło – dopiero wtedy, po fakcie, wszystko widzisz. Te słowa, które – jak mówiła swojej przyjaciółce – na wskroś ją przewiercały. Ale wtedy tego nie rozumiałam. Byłam nastawiona na walkę i byłam wściekła, gdy Magda się poddawała, kiedy widziałam, że nie współpracuje, że już zrezygnowała. Byłam wściekła.

Pokazywałaś jej to?

Powiedziałam jej któregoś dnia: „Magda, jeżeli nie chcesz walczyć o siebie dla siebie, to zawalcz o siebie dla nas". W swoim egoizmie wyobrażałam sobie, że przecież Magda nas kocha, bardzo. Jesteśmy bardzo ze sobą związani. Że powinna to dla nas zrobić.

Ona was kochała, tylko nie miała siły tu być. Potwór zabierał jej całą energię.

To wiem dzisiaj. A wtedy byłam nastawiona walkę. A ona nawet jak walczyła, to bez energii, wściekałam się na to, choć trudno przecież oczekiwać od człowieka, dla którego wstanie z łóżka jest ogromnym wysiłkiem, żeby walczył zaciekle.

Magda ostatnią część życia spędziła pod opieką specjalistów.

Po maturze pojechała jeszcze do Cambridge, przyjęli jej pracę pisemną, miała zdawać egzaminy ustne, była na Ukrainie, pomagała biednym dzieciom. Później było już tylko gorzej. Była w fatalnym stanie. Psychiatra, którego poleciła psycholożka, dał natychmiastowe skierowanie do szpitala, z adnotacją: „Zagraża samobójstwem". Ale oni w tym szpitalu w ogóle się nią nie zajmowali. Piętnastominutowe rozmowy rano plus psychoterapia raz w tygodniu, na którą Magda nie chodziła. Lekarze ją zlekceważyli. Ona być może zagrała przed nimi, że wszystko jest w porządku. Kiedy ja z nią rozmawiałam, płakała z bezsilności. Nie umiała mi powiedzieć, co jej jest. Ale lekarze powinni chyba wiedzieć, jak takiego człowieka otworzyć. Oni ją mijali.

Pozwolili jej się wypisać ze szpitala, bo była pełnoletnia.

Tak.

A kiedy zapytali ją, czy chce popełnić samobójstwo, powiedziała, że nie chce.

Tak. I oni uwierzyli. Albo było im wygodniej uwierzyć. Ja usłyszałam: „Pani córka jest dorosła. Przecież nikt jej nie naleje rozumu do głowy".

Po tym, co się stało, nie miałaś ochoty po prostu podać ich do sądu albo pojechać i tak po prostu dać komuś w twarz?

Nie uznaję agresywnych zachowań. Pytałeś mnie o żal. Tak, w pewnym momencie miałam wielki żal do lekarzy, którzy zajmowali się moją córką. Kto miał nam pomóc, jak nie oni? Byłam gotowa opowiedzieć im wszystko, błagałam o pomoc. Na odczepnego dali nam w końcu skierowanie na oddział nerwic. Wydawało mi się, że obie się na to cieszymy, że wreszcie ktoś nam pomoże. Magda przez te ostatnie dni szukała naszej obecności, przychodziła, żeby razem posiedzieć, porozmawiać. W dniu, w którym mieliśmy tam jechać, rano zobaczyłam, że Magda gdzieś poszła. Zadzwoniłam do niej na komórkę, powiedziała, że wyszła na spacer. Zdziwiłam się, że poszła bez psa, odpowiedziała mi, że z psem była już wcześniej. Znaleźliśmy ją następnego dnia, kilometr od domu. Zostawiła list, napisała, że przeprasza nas, ale „nie przeżyje tego życia". Była spokojna, ale nie miała już siły. Nikt nie umiał jej pomóc.

Czy w takiej sytuacji jest mowa o wnioskach?

Wiesz, staram się. Myślę, że to jest praca. To się nie dzieje z dnia na dzień. To nie jest tak, że nagle wszystko się też we mnie zmieniło. Myślę, że to są jakieś procesy, które będą trwały. Na pewno w jakiś sposób ta tragedia wpłynęła na całe moje życie, ale tak naprawdę, co to zmieniło we mnie, będę ci mogła powiedzieć może za rok, może za dwa. Nie wiem.

Jak wygląda teraz twój kontakt z Magdą?

Dzisiaj nawet powiedziałam sobie w myśli: „Jeśli nie chcesz, żebym wchodziła do tego studia, to daj mi znak". Bo rzeczywiście miałam ogromny problem z tym, żeby tutaj przyjść. I rozmawiać z tobą. Ale nie dała mi tego znaku. Więc nie wiem, co o tym myśleć. [*śmiech*]

Wiemy, komu mamy podziękować.

To jest nieustanny dialog wewnętrzny. W każdej chwili, kiedy nie pracuję, to sobie rozmawiam. Nie wiem, czy z sobą rozmawiam, czy z nią. Nie mam pojęcia. Piszę do niej. To jest nieustanne myślenie, którego nie możesz wyłączyć. Dzisiaj rozumiem te słowa Magdy, które padły w jednym z wierszy: „Kiedy siedzimy skulone w jednym pokoju ja i moja głowa". Czasem tak się czuję, że jestem ja i jest moja głowa, której nie mogę wyłączyć... Pewnego programu. Jestem zaprogramowana na jeden temat, rzeczywiście. I w zasadzie tylko wtedy, kiedy pracuję, mogę powiedzieć, że nie myślę.

Ale to są wciąż tylko pytania czy już jakieś odpowiedzi?

Nie, raczej ciągle pytam. Ciągle pytam, jaki może być sens tak niepotrzebnej śmierci.

Kiedy ją spotkasz po tamtej stronie, to co jej powiesz? „Jestem"? „Tęskniłam"?

Nie wiem. Nie wiem, co jej powiem. Bo nie wiem... Bo dzisiaj wątpię, wiesz.

Wątpisz?

Tak. Bo dzisiaj wątpię, wątpię chyba ze strachu. Ze strachu, że no dobrze, a co, jeśli to rzeczywiście jest już tylko nicość? Wieczny sen?

27 października 2009 roku

JESZCZE NIE TERAZ

[Bogusław Kaczyński]

Nazywam się Bogusław Kaczyński. Dzień, w którym dostałem udaru, to był najgorszy dzień w moim życiu. Nie spodziewałem się czegoś takiego, bo byłem zdrowy, przeprowadzałem systematycznie badania lekarskie i cieszyłem się świetnymi wynikami. Zrozumiałem, że życie ludzkie jest kruche i ma swój koniec. Myślałem o życiu, nie o śmierci.

Poukładany człowiek, wizerunek pedanta, który ma kontrolę nad wszystkim w życiu, i oto nie może pan ruszać ręką, nogą. Czuje pan, że się w sobie zapada, coś się wali. Nie wierzę, że choć przez chwilę nie pomyślał pan o śmierci.

Absolutnie nie myślałem. W chwili kiedy zorientowałem się, że dzieje się ze mną coś bardzo niedobrego, byłem obrażony...

Obrażony?

Na chorobę! Byłem na nią wściekły, że padła na mnie w niewłaściwym momencie. Miałem kalendarz czarny od terminów, nie mogłem sobie pozwolić na chorowanie.

Musiał pan myśleć o tym, że to może już ostatnia kartka. Udar to chyba jednak dość wstrząsające przeżycie.

Traktowałem to tak: udar udarem, a moje plany moimi planami!

Nadal panu nie wierzę.

Naprawdę tak było. W chwili udaru byłem w mieszkaniu, siedziałem w fotelu, była dziewiąta rano, czekałem na impresaria. Wyjeżdżałem do Olsztyna na występ z Małgorzatą Walewską. Mieliśmy koncert. Sprzedana wielka sala, jak można zawieść publiczność? Najpierw zawieziono mnie do szpitala i tam przeprowadzono ze mną wywiad lekarski, ustalono, czy pamiętam wszystko, czy niczego nie pamiętam: „Imię", „Nazwisko", „A jakie ma pan drugie imię albo trzecie?" – nie mam żadnego, „A gdzie pan mieszka? Na jakiej ulicy?" – na takiej, „A gdzie pan pracuje?" – w telewizji, „A gdzie telewizja się mieści?" – podaję adres. Powiadam panu, koszmarnie mnie znudził ten lekarz swoim głupimi pytaniami. Znudził i zezłościł. Bo oto leżę na jakimś łóżeczku, on mnie pyta o jakieś banały, a ja nie mam czasu, bo mam koncert w Olsztynie! Mówię: „Panie doktorze, muszę dzisiaj jechać do Olsztyna! Tam ludzie na mnie czekają!". Lekarz spojrzał na mnie i powiedział: „Dzisiaj to pan nigdzie nie pojedzie".

Wtedy to do pana dotarło?

Tak. Wtedy dotarło do mnie, że to chyba nie musi być tak, że wstanę, otrzepię się i jeden zastrzyk załatwi sprawę.

Bogusław Kaczyński nie jest wieczny.

Niechże mi pan uwierzy – w ogóle o tym nie myślałem! To mnie nie dotyczyło. Żyłem planami. Proszę pana, Goethe! Był sędziwym człowiekiem, kiedy powiedział: „Człowiek musi mieć plany na sto lat naprzód". Ja miałem plany na sto pięćdziesiąt lat i w tych planach nie było miejsca na chorobę, i to tak poważną.

Powiedział pan kiedyś, że to nie pan ma problem z chorobą, to choroba powinna mieć problem z panem.

Tak. Bo jest okropna, że zjawiła się nieproszona w niewłaściwym momencie. Naprawdę nie miałem czasu na chorobę.

Zdaję sobie z tego sprawę, ale pamiętam też z własnego doświadczenia, że gdy słyszę, iż coś jest ze mną nie tak, pierwszą myślą jest bunt. Sprzeciw. Niezgoda na to, żeby ktoś robił ze mną coś, czego nie chcę.

Tak właśnie to przeżywałem. Ale postanowiłem, że będę walczył do upadłego i muszę pokonać tę niechcianą chorobę. Zacząłem walczyć. To było straszne. Nawet nie mogłem siedzieć w wózku inwalidzkim, bo wciąż się przewracałem, nie wiedziałem, gdzie jest pion. Po kilku tygodniach, kiedy mnie pionizowano w specjalnej szwajcarskiej maszynie, nie wiedziałem, czy stoję prosto, czy stoję krzywo i gdzie jest równowaga. Ale powiedziałem sobie, że również i tego trzeba się będzie nauczyć.

Przesłuchuję pana dość brutalnie, próbując znaleźć skazę na monolicie, moment pęknięcia, złości, powiedzenia sobie: „Przelewam się z lewej na prawą, nie umiem złapać pionu, jestem ciężko chory, rzucam to wszystko. Mam prawo. Pas. Adieu. Praszczaj".

Absolutnie nie. Ba, wprost przeciwnie! Leżąc w łóżku szpitalnym, zrealizowałem cały Europejski Festiwal imienia Jana Kiepury. Kiedy leżałem i nie pisałem – do tej pory zresztą nie piszę – dyktowałem cały program. Artyści telefonowali do szpitala, angażowałem ich i cały program festiwalu był gotowy. Powiedziałem: ja ten festiwal poprowadzę. Jak zawsze. Nie jeden koncert. Dwadzieścia pięć koncertów.

Wyobrażam sobie reakcje lekarzy.

Załamywali ręce. Pani profesor wezwała moich opiekunów i powiedziała: „Proszę państwa, proszę mu to jakoś delikatnie wytłumaczyć, to jest niemożliwe po prostu".

Co jest tym akumulatorem, do którego pan podłącza tę armatę psychiki? Czym ją pan zbroi? Dla niektórych takim akumulatorem jest rodzina, są najbliżsi. U pana – to praca? Poczucie misji?

Tak. I ukochanie życia. Nie jestem gotowy na umieranie, odchodzenie, żegnanie się. Absolutnie nie.

Ale mądrość, dojrzałość polegają na tym, że z czasem zdajemy sobie sprawę, iż życie jest w istocie szykowaniem się na śmierć.

Ale to kiedyś. To kiedyś. Tak, wiem o tym. Ale to jeszcze nie teraz. Jeszcze kilkanaście albo kilkadziesiąt książek, programów telewizyjnych, koncertów. Tylko za granicę nie jeżdżę na koncerty, podróże samolotem są na razie niewskazane.

Czyli w ogóle nie ma pan w głowie tego dnia, w którym przy pana pierwszej dacie – urodzenia – dopiszą drugą? Rozdział się zamknie.

Nie.

Ma pan w sobie bardzo dużo – i to jest chyba klucz, którym otwiera pan ludzi – pasji, szacunku do tych, których pan spotyka... Podobnie aktywną osobą była, z tego, co wiem, pana siostra. Kiedy był pan w szpitalu, również walczyła ze śmiertelną chorobą.

Proszę pana, to jest przyczyna mojej choroby. Moja siostra. Jestem o tym przekonany. To była moja jedyna rodzina. Byliśmy ze sobą bardzo związani. Ona od trzydziestu dwu lat mieszkała w Szwecji. Telefonowaliśmy do siebie trzy, cztery razy dziennie. Zajmowała eksponowane stanowisko, była matematykiem, aktuariuszem, po przejściu na emeryturę zamierzała przyjechać do Polski. Mieliśmy już gotowe plany, jak będzie wyglądała nasza starość. Mówiliśmy sobie, że wreszcie i ona, i ja będziemy mogli pozwolić sobie na kupienie kota, psa, różnych zwierząt, które mieliśmy w dzieciństwie, a które człowiekowi żyjącemu samotnie trudno jest mieć. I nagle dotarła do mnie wiadomość ze Sztokholmu, że jest niedobrze. Wsiadłem w samolot i poleciałem tam. W poniedziałek miałem wizytę w klinice, profesor odbył ze mną rozmowę w stylu szwedzkim. W Polsce nie do końca stosujemy te metody i wydaje mi się, że słusznie. Tam mówi się absolutnie wszystko, co ma się do powiedzenia. Profesor, analizując chorobę mojej siostry, powiedział: „To jest wyrok śmierci, nie ma żadnej nadziei". Dla mnie to był taki szok, że w połowie jego wywodu przestałem rozumieć, co on do mnie mówi. W jednej chwili zapomniałem język angielski. Teraz myślę, że to była obrona mojego organizmu. Nie chciałem tego słyszeć, nie chciałem tych słów rozumieć. Gdy wyszedłem z gabinetu, należało wejść do pokoju mojej siostry. Profesor powiedział: „Ona wie już od dawna, prosiła mnie tylko przed pana wizytą, żeby panu tego nie mówić". Gdy wszedłem do jej pokoju, patrzyła na mnie badawczo... Co ja wiem? Myślałem, że wrosnę w ziemię. Powiedziałem sobie: „Trzeba coś robić". Zacząłem się śmiać i opowiadać różne rzeczy, to i tamto. Ale po chwili czułem, że tracę siły. Nie mogę się wygłupiać...

Przykryć trudności aktywizmem, ruchem...

... bo to jest ponad siły człowieka. A ona cały czas patrzyła na mnie. Widziała moją grę. Pożegnaliśmy się. Wróciłem do Polski, bo ten koncert w Olsztynie – podpisany kontrakt! Powiedziałem: „W piątek wracam do Sztokholmu", i odtąd na każdy weekend będę przylatywał do kliniki. Pożegnaliśmy się. Po raz ostatni. Bo udar, rano, o dziewiątej... I nie mogłem do niej zadzwonić. Bardzo źle mówiłem i pomyślałem, że przerazi się tym, co się ze mną stało. Lepiej nie dzwonić. I tak czekałem, aż będzie lepiej i wreszcie do niej zadzwonię. Cały czas się głowię, co ona w tym szpitalnym łóżku wtedy o mnie myślała. Że ją opuściłem w chorobie? To niemożliwe po prostu. Nie mogła tak myśleć, bo mnie zna całe życie. Wiedziała o tym, co nas łączyło i że byłem wtedy, kiedy trzeba, i ona była też wtedy, kiedy potrzebowałem mieć przy sobie bliską osobę... Ale to mnie dręczy. Moi przyjaciele pojechali na pogrzeb, a ja leżałem sparaliżowany w łóżku w klinice. Lekarze – bardzo troskliwi – przyszli do mnie, powiedzieli, że zmieniają lekarstwa. Dali mi inne, zażyłem je oczywiście. W tym momencie wchodzi moja opiekunka i mówi: „Jest do pana telefon ze Sztokholmu". Mówię: „Och, teraz? Teraz nie mogę rozmawiać, bo są u mnie lekarze, całe konsylium", oni mówią: „Proszę, proszę odebrać". Odbieram ten telefon i słyszę: „Dzisiaj rano... w Sztokholmie... zmarła...". Te zmienione leki to były tabletki uspokajające. I to końskie dawki, żebym wytrzymał. Brałem je tydzień, może więcej. Byłem oszołomiony, leżałem w łóżku, nie robiłem nic. Myślę, że moja siostra wyczuwała doskonale, że coś się ze mną stało. Bo nie mogłaby pomyśleć inaczej.

Umierała, martwiąc się o pana...

To było jak scena w tragedii greckiej. Dosłownie. Niemoc ludzka... Wtedy doświadczyłem niemocy! Nie mogłem zaradzić temu, co się dzieje w Sztokholmie. Okropne. Przeżyłem okropne rzeczy. Wie pan, tak sobie często myślę... może ta wysoka cena, którą zapłaciłem, to, co się stało: i śmierć siostry, i moja choroba, i mój stan ciągle jeszcze, to jest wyrównanie... rekompensata, którą los sobie policzył za moje kolorowe, bajeczne życie. Bo miałem życie kolorowe i niezwykłe. Nie wiem, czy pan sobie to do końca wyobraża. Jak koliber z amazońskiej puszczy. Oczywiście, miałem drobne problemy – kto ich nie ma? Ale to wszystko nieważne. Żyłem, unosząc się nad światem. I nagle dostałem w głowę. Ale jak...

Ale się pan podniósł. Jak?

Czytelnicy tej rozmowy pewnie myślą: „Ale zarozumiały facet – pomyślał, że będzie zdrowy, i już jest zdrowy"... Włożyłem w to straszną pracę. To, że chodzę – jak chodzę, tak chodzę, ale chodzę – bez laski, bez wózka, bez balkoniku, bez tych wszystkich rzeczy, to była mordercza praca. Rehabilitacja... Codziennie, już prawie cztery lata, odbywam rehabilitację. Ja, który nigdy nie ćwiczyłem, gimnastyka była w ogóle nieobecna w moim życiu. Dziś zmuszony jestem ćwiczyć, i to wykonywać ćwiczenia, które są męczące, bolesne, monotonne. Ale chodzę! Proszę bardzo! Posługujcie się moim przykładem! Leżałem tak jak wy! I wierzcie w to! Wierzcie w to, że będzie lepiej! Pracujcie! I wstaniecie z tego łóżka!

Panie Bogusławie, ale co dalej? Skoro los, o którym pan mówi, już się na panu odegrał, dał panu w kość, wie pan już, że to jest bardzo trudny przeciwnik... I może pan sobie planować koncerty na trzy lata do przodu, a on i tak zrobi swoje. Nie boi się go pan trochę?

Myślę, że on zatrzymał się w pół drogi. Odnoszę wrażenie, że ktoś tam na górze – wszystko jedno, jak go nazwiemy – powiedział: „W górę", a potem zatrzymał rękę i powiedział: „Niech jeszcze zostanie trochę, jest tu jeszcze potrzebny". I zostawił mnie na tym świecie. Przy mnie w klinice umierali ludzie, widziałem to wszystko. Patrzyłem, jak umierają po kilku godzinach od przywiezienia. Ale patrzyłem na nich i nie widziałem, że umierają. Nie chciałem widzieć. To tak jak z tym angielskim w Sztokholmie – nie rozumiałem od połowy nic. Tak samo tutaj – patrzyłem i nie widziałem.

A nie myślał pan sobie, że przez to pana świat jest jakoś uboższy? Bo nie można być całe życie kolibrem nad puszczą amazońską. Ludzie umierają, panie Bogusławie.

Już nim nie jestem. Już nie jestem kolibrem.

Nauczył się pan cierpienia?

Już zrozumiałem wiele, wiele rzeczy. Wiem, co jest ważniejsze, co mniej ważne. Wie pan, w klinice przychodził do mnie lekarz – znakomity, prawdziwy lekarz – był zawsze w moim pokoju o ósmej rano, codziennie. Mówi do mnie pewnego dnia: „Gratuluję! Serdecznie gratuluję panu, miał pan dzisiaj wielki, wielki sukces!". Szukam w głowie, zastanawiam się, pytam: „Powtórzono jakiś program? Który? W którym programie?". A on: „Nie, nie program. Widzę tutaj..." – przepraszam pana, powiem dosłownie...

Proszę bardzo...

„... dzisiaj była kupa!". Wie pan, mnie zamurowało z wrażenia. Wydukałem: „Panie doktorze, miałem chyba w życiu większe sukcesy". A on na to: „Nie, jest pan w błędzie. Ta kupa, zrobiona wtedy, kiedy trzeba i samodzielnie, jest największym sukcesem, jaki może się zdarzyć człowiekowi".

Kiedy ten mądry, troskliwy lekarz mi to powiedział, kiedy to zrozumiałem, pomyślałem: „Mój Boże! Żyłem w jakiejś ułudzie! Ta kupa jest więcej warta niż Nowy Jork i Paryż, i Rzym, i Chiński Mur! Od tego momentu zacząłem trochę inaczej spoglądać na zaszczyty tego świata... To mnie już bawi...

Urealniło się to życie.

Tak. Absolutnie mnie to bawi.

Ma pan nadzieję na spotkanie z siostrą?

Tak, mam. Mam. Ciągle dochodzą do mnie słuchy: ktoś umarł. Dzisiaj mój kolega z Akademii Muzycznej, świetny pianista.

W tej chwili inaczej to już przeżywam. A przynajmniej się staram. Nie wyrywam włosów z głowy, myślę sobie: „Jeszcze jeden, który będzie na mnie czekał po tamtej stronie". I my się spotkamy kiedyś, oczywiście. Tylko mówię tym na górze: „Poczekajcie jeszcze trochę, nie spieszmy się tak bardzo"...

13 października 2010 roku

MAMA WIEDZIAŁA, ŻE UMIERA

[Wit Dziki]

Nazywam się Wit Dziki. Moja mama, Daria Trafankowska, była najdroższą mi osobą. Najcudowniejszą, najwspanialszą. Miałem mocarstwowe plany: kiedyś zbudować dom, kupić superfajny samochód i pewnego dnia powiedzieć: „Mamo, to jest dla ciebie, całe życie mi oddałaś, a teraz ja się odwdzięczam". Nie zdążyłem się zrewanżować.

Chyba byłeś maminsynkiem.

Ciężko nie być maminsynkiem, kiedy ma się tak wspaniałą matkę. Była dla mnie kimś najważniejszym w życiu. Kompasem moralnym. Jeśli mama coś mówiła, to synek tak robił. Jeśli mówiła: „Synku, nie rób tego", to synek nie robił, mimo że był zbuntowanym piętnastolatkiem i bardzo go kusiło.

Zwykle piętnastolatki, gdy mama im mówi, by czegoś nie robiły, robią to w te pędy. Twoja mama musiała mieć dar przekonywania.

To był jej fenomen, była chyba jedyną na świecie osobą, z którą można było tak się dogadać. Miała prostą i skuteczną metodę: na bardzo wiele rzeczy mi pozwalała. Nie miałem tysięcy nakazów i zakazów, patrząc na to przez pryzmat klasycznej polskiej rodziny, byłem pewnie wychowywany dość luźno. Więc jeśli już miałem jakiś zakaz, to było to wydarzenie. Bo jeśli moja matka uważa, że czegoś robić nie powinienem i nie mogę, to muszą być bardzo poważne powody i w to nie wchodzę.

Poznałem kiedyś twoją mamę, wystarczyła chwila, by zrozumieć, dlaczego ludzie mówili o niej „Matka Boska Trafankowska". Typ człowieka, który nieznajomemu od razu proponuje herbatę, żeby przestał być nieznajomym. A skoro już jest znajomym – ma prawo do wszelkiej pomocy.

Miałem do niej nawet o to czasami pretensje, bo jak się ma lat, powiedzmy, trzynaście, wraca się po szkole do domu, a tu nagle okazuje się, że siedzi u nas trzech gości z podwórka, którzy – fakt – mieli może w życiu trochę trudniej niż ja, ale siedzą i grają na moim komputerze, to człowiek myśli sobie: „Kurczę blade, dlaczego oni zajmują mój pokój, moją przestrzeń?". Co chwila w domu pojawiali się znajomi i znajome, którzy mieli poważne problemy niecierpiące zwłoki. Pamiętam kilka takich Wigilii, gdy już mieliśmy siadać do stołu i nagle pojawiały się koleżanki mojej matki, które przeżywały właśnie nieszczęśliwe romanse. Mnie to doprowadzało do szału, bo chciałem już cieszyć się z prezentu, który leży pod choinką, a tu jakaś baba siedzi i łka, jak to jest jej ciężko w życiu. Nie bardzo wiedziałem, co zrobić, więc często miałem do matki takie drobne pretensje, że zajmuje się wszystkimi naokoło.

A nie tobą.

Gdybym tak powiedział – skłamałbym. Niezależnie od liczby łkających koleżanek mnie stawiała na pierwszym miejscu. Gdy byłem już dorosły, dotarło do mnie, że po tym jak rozstała się z moim ojcem, nie budowała sobie życia, nie szukała mężczyzny, bo był syn i trzeba się było nim zająć. Było liceum, gniewny i dziwaczny okres w moim życiu. Dlatego jej choroba wydała mi się tak straszną niesprawiedliwością – mniej więcej rok przed tym jak dowiedzieliśmy się, że ma raka, spotkała wreszcie faceta, którego pokochała i który ją pokochał. Ten człowiek, pięćdziesięcioparoletni, umówił się ze mną, szczawiem, na piwo i zapytał mnie uczciwie: czy daję błogosławieństwo, żeby się spotykał z moją matką. Dałem, bo wiedziałem, że on jej daje radość... Byli szczęśliwi. I nagle – choroba.

Trwała długo?

Stosunkowo długo jak na nowotwór. Mniej więcej rok. Nowotwór to najgorsza sprawa. Nie za bardzo jest na kogo się rzucić z pięściami, bo jeśli jest wypadek samochodowy, który spowodował pijany kierowca, możemy wziąć siekierę i szukać odwetu. A tutaj – co można zrobić? Z drugiej strony ten nowotwór dał mi szansę, by oswoić się z myślą, z którą będzie się musiał prędzej czy później zmierzyć każdy: moja mama umrze. Nie wiem, jak by to wyglądało później. Teraz miałem przynajmniej czas, żeby się z nią pożegnać.

Pierwszy odruch był chyba jednak inny. Zwykle rzucamy się do walki: „wyzdrowiejesz", „będzie dobrze".

Pierwszy odruch zawsze taki jest. Ale im dalej w las, tym częściej zadajesz sobie pytanie: komu ma być dobrze? Tobie czy temu człowiekowi, który z dnia na dzień coraz bardziej się tym życiem męczy. Najpierw jednak jest dziecięce w swej naiwności bohaterstwo. Choroba? Nowotwór? XXI wiek! Poradzimy sobie! Tej kobiecie to się przytrafić po prostu nie może!

Miałeś wtedy dwadzieścia trzy lata. Próbuję sobie wyobrazić faceta, który staje do walki o życie najważniejszej kobiety w jego życiu. Jest w stanie stawić czoło całemu światu.

Nie byłem bohaterem, matka w procesie wychowania skutecznie wybiła mi to z głowy. Ale jasne, że chciałem jej pomóc, jak tylko umiałem. Szukaliśmy wraz z ojcem najbardziej skutecznych lekarzy, choć przy nowotworze ta skuteczność bierze się chyba nie bardzo wiadomo skąd. Bardzo odciążył mnie facet mojej mamy, wspierał ją chyba bardziej niż ja, był przy niej, bardzo wiele spraw organizacyjnych brał na siebie. Byli przyjaciele mamy z teatru, którzy zorganizowali koncert i kwestę na jej leczenie.

Miałeś poczucie, że to wszystko, co twoja mama rozdawała ludziom, zostało jej oddane?

Na pewno spora część. Ale wiesz, ten koncert to była niesamowita rzecz. Ludzie, którzy chcą pomóc. I ta ich chęć na twoich oczach przybiera taką materialną postać – pojawiają się pieniądze, za które ona później jedzie i się leczy... Oczywiście były też komentarze, że to niesprawiedliwe, bo to osoba publiczna, więc jej jest łatwiej się leczyć niż przeciętnemu Kowalskiemu.

Co chyba jest bzdurą.

Jest i nie jest. Bo rzeczywiście mama miała każdą potrzebną pomoc. Niewiele to w rezultacie dało, ale kiedy tam stałem na widowni, słuchałem tych wszystkich ludzi... To była niesamowita mieszanka: tu jakieś kabarety, tutaj piłkarze Legii z piłką i koszulkami, które chcieli zlicytować, dziwne, nieprawdopodobnie pozytywne zbiegowisko. Poczułem, że moja mama dla tylu ludzi była kimś tak ważnym, że warto dać jej ten czas.

Kiedy wiedziałeś już, że nie wygracie tej walki?

Bardzo późno, tydzień przed śmiercią. Leczyliśmy mamę w Salzburgu. Większość czasu spędzała w Polsce i raz na dwa miesiące jeździła tam na terapię. Za którymś razem, gdy przyjechaliśmy do kraju, mama poczuła się źle. Nasz austriacki lekarz zaordynował zabieg, który można było zrealizować tylko w szpitalu. Chciał, żeby przeprowadzić go szybko, więc przewieźliśmy mamę do szpitala, tam lekarz popatrzył na mnie i mówi: „Ale pan sobie zdaje sprawę z tego, że to są dni, może tygodnie, ale nie sądzę...". Żachnąłem się: „Niech mi pan tu nie opowiada, przed chwilą konsultowałem się z profesorem z Salzburga i dał mi dokładne wytyczne, powiedział, że to jest bardzo szybki zabieg, po nim ona wróci do domu i jedziemy do Austrii". Polski lekarz cierpliwie tłumaczył mi dalej, że owszem, zabieg można wykonać, ale on tylko przedłuży jej cierpienie. Jej organizm oczyści się z toksyn, ponownie się wybudzi, ale kupimy jej w ten sposób kolejnych kilka dni męki, bo mama strasznie się już męczyła w tej końcowej fazie. To była potwornie trudna decyzja, czy robimy ten zabieg i dajemy jej tych kilka dni – a tak naprawdę dajemy je sobie, bo ona już jest zmęczona i mówi, że nie ma siły, czy pozwalamy temu wszystkiemu toczyć się rytmem, jakim zwykle się to dzieje, ku śmierci. Wtedy poczułem, jak schodzi ze mnie para. Dotarło do mnie, że już się nie uda. Że to kwestia dni. Mama żyła dokładnie tydzień od momentu, kiedy wylądowała w szpitalu.

Ty musiałeś podjąć tę decyzję?

Ja. Oczywiście pytałem wszystkich naokoło, co powinienem zrobić. Ale tak naprawdę chyba wiedziałem, byłem po rozmowach z nią. Gdybym wiedział, że ten zabieg da nam jeszcze cień szansy na walkę... Mama wtedy była już nieprzytomna. Jedyne, co bym uzyskał, to że jeszcze mógłbym z nią pogadać. Żeby w pełni świadomości i cierpienia mogła za te kilka dni i tak umrzeć. To byłby koszmarny egoizm.

Przygotowywała cię na swoje odejście? Rozmawialiście o tym?

Tak. Bardzo wcześnie poczuła, że musimy o tym pogadać. Po raz pierwszy – od razu po diagnozie. Pamiętam, że była uśmiechnięta, zawsze taka była. Ale czuła powagę sytuacji. To ja jej nie czułem. Widziałem swoją kochaną matkę w całkiem niezłej formie, a ona mówi mi: „Słuchaj, prawdopodobnie to się skończy źle... Ja tego nie przeżyję... Nie wiem, czy to będzie siedem miesięcy, czy dwanaście, ale to się prawdopodobnie stanie. Więc przygotuj się, pomóż mi spisać testament, zastanów się, co z mieszkaniem". I tak dalej, i tak dalej. Powiedziała, na jakim cmentarzu chciałaby leżeć. Słuchałem tego jak *science fiction*. Zachowałem się jak bohaterski dzieciak, który będzie bronił mamy nawet przed myślą o tym, że może jej się stać jakaś krzywda. Mówię: „Pogadamy, jak już będziesz zdrowa, ustalimy sobie wtedy na spokojnie, na jakim cmentarzu będziesz leżała i jak będziemy dalej postępować w życiu, a na razie nie przejmuj się, wszystko będzie okej". Ale mama wiedziała od samego początku, ku czemu to zmierza. Rok temu jej bardzo bliski przyjaciel zmarł na raka mózgu. Widziała, jak choroba postępuje, jak on walczy i przegrywa.

Walka musiała cię kosztować krocie. Ile kosztowała cię strata – nie jestem sobie w stanie wyobrazić.

Walka nie kosztuje. Walczysz i to jest tak naturalne jak oddychanie, jedzenie czy sen. A odejście kosztuje najbardziej, gdy przychodzą ważne momenty w życiu, gdy jesteśmy załamani, bo coś nam nie wyszło, albo gdy święcimy triumfy i gdy nie ma do kogo polecieć z tą wiadomością. Zawsze biegłem do niej. To są najtrudniejsze chwile. Zrywasz się i zatrzymujesz w pół kroku. Sama śmierć jako akt czysto fizyczny to jeszcze jest coś, co do człowieka do końca nie dochodzi. Ona umiera, wiemy o tym, że już jej nie ma, ale ta cała organizacja: cmentarze, pogrzeby, jakoś nas zajmuje. Pierwszy tydzień to generalnie jest latanie, załatwianie różnych spraw. Kłopot zaczyna się w tygodniu drugim. Znajomi wyjechali, życie toczy się dalej. A ty siadasz i... Ja mam to szczęście w nieszczęściu, że w sumie byłem młody, miałem pracę, miałem do czego wracać. Ale co musi czuć człowiek stary, na emeryturze, który traci najbliższą sobie osobę. Przez tydzień jeszcze się spina, dopina grób, księdza, rodzinę. Później siada w fotelu, a drugi fotel jest pusty. Nie umiem sobie tego wyobrazić.

Czy pustka to naprawdę pustka? Kiedy brałeś do ręki telefon, chciałeś dzwonić, nie było myśli, że ona może jednak gdzieś jest?

Jest. Nie mam wątpliwości. Nie chciałbym teraz zabrzmieć jak szaleniec, który uważa, że duchy krążą wokół nas, ale mam przeświadczenie, pewnie dość infantylne, że ona nade mną czuwa cały czas. Nie wiem, na czym to polega, ale mam nad sobą ochronną warstwę. Za każdym razem gdy mam jakiś wypadek, wychodzę z tego cało, i myślę, że moja matka to mój Anioł Stróż. Że jej energia pozostała i cały czas nade mną czuwa.

Spotkasz się jeszcze z mamą?

To dla mnie bardzo trudne pytanie. Rzecz, nad którą zastanawiam się od bardzo dawna. Jeśli jest coś takiego jak niebo, to pewnie się z nią spotkam, bo ona tam na pewno jest. Tylko nie wiem, czy ja bym tam trafił. Ciężko mi mówić o niebie, piekle, czyśćcu, bo do końca tego nie pojmuję. Nie jestem katolikiem. Natomiast jeśli istnieje coś takiego jak energia w człowieku i ona nie ginie wraz ze śmiercią, to myślę, że tak, że jeszcze się kiedyś spotkamy.

A nie korciło cię, by uwierzyć? Wierzący ma „premię", może prosić o cud.

Ale gdy cud się nie przytrafi, może stracić wiarę.

Nie ryzykowałeś?

Pewnie, że chciałbym, żeby przytrafił się cud. Ale go nie było. Poza tym, wiesz, nie umiem tego w żaden sposób wytłumaczyć, ale dziś myślę, że chyba, kurczę, wszystko ma sens. Nawet jeśli doświadczenie jest najbardziej bolesne, potworne, to ma to sens głębszy, o którym być może nie mamy zielonego pojęcia.

Jaki jest sens w śmierci tak dobrego człowieka, który jeszcze tyle pewnie mógł zrobić i odchodzi?

Nie wiem, czy kiedykolwiek się tego dowiem, ale pewnie jakiś sens w tym był. Dla mnie to było najgorsze i najstraszniejsze doświadczenie w życiu, ale być może to najgorsze i najstraszniejsze doświadczenie w życiu daje mi coś, czego nic innego by mi dać nie mogło. Sytuacja graniczna, lekcja, której może nie dało się odrobić w inny sposób.

Dotąd byłeś fajnym, hołubionym przez mamę – jak sam mówisz – szczawiem. Czego nauczyła cię jej śmierć?

Mama wyprawiła mnie w dorosłe życie.

Gdyby teraz jednak stał się cud i twoja mama mogłaby na chwilę z nami być, co byś jej powiedział?

Żebyśmy się przeszli na spacer z moim psem. Mam fajnego psa.

18 grudnia 2009 roku

CHCĘ ZOBACZYĆ HIMALAJE

[Robert Więckowski]

Nazywam się Robert Więckowski. Mam trzydzieści osiem lat, jestem dziennikarzem, od dwóch lat – redaktorem naczelnym miesięcznika „Pochodnia" wydawanego przez Polski Związek Niewidomych. Twarzy nie widzę. Już nigdy nie będę widział twarzy. Teraz ścigam się z czasem. Co będzie wcześniej? Stracę wzrok czy umrę? Tak czy inaczej, gdzieś czeka na mnie ciemność.

Boisz się ciemności?

Nigdy się nie bałem.

Nawet gdy byłeś dzieckiem?

Nawet wtedy. Zawsze lubiłem być w ciemnym pokoju, coś tam sobie „wymarzać". Tak było, nawet kiedy jeszcze miałem dobry wzrok. Lubię takie intelektualno-wyobraźniowe podróże, do których okazję daje ciemność. Spekulacje, co jest za ścianą, której nie widać w mroku. Wyobraźnia buduje mój świat.

Może przyjść dzień, w którym wraz z włączeniem światła ta ciemność się nie skończy.

Mimo to się jej nie boję. Troszkę mi będzie pewnie żal światła, kolorów, to zostanie już tylko w mojej głowie, pamięci, wyobraźni. A ciemności się nie boję, bo miałem czas się do niej przyzwyczaić. Przez tych parę lat pogodziłem się już z tym, że kiedyś wprowadzi się na dobre i będę musiał z nią żyć.

Kiedy zetknąłeś się z nią po raz pierwszy?

W czwartej klasie podstawówki po raz pierwszy założyłem okulary. Później były mocniejsze, po nich jeszcze mocniejsze. Dziś już ich nie noszę, lekarze są bezradni, nie potrafią dobrać mi szkieł, które pozwoliłyby mi widzieć świat, tak jak ty go widzisz.

To musiał być straszny moment, gdy powiedziano ci, że nie ma już takich szkieł, które mogłyby pomóc.

Nikt mi tego nie powiedział, nigdy. Po prostu w pewnym momencie odkryłem, że bez okularów czuję się znacznie pewniej na ulicy, znacznie łatwiej jest mi pracować przy komputerze. Okulary zaczęły mi przeszkadzać, miały wyostrzać świat, a czyniły go jeszcze bardziej rozmytym.

Jak nazywa się ta choroba?

Zwyrodnienie barwnikowe. W siatkówce ludzkiego oka są komórki barwnikowe, które mają za zadanie przetwarzać światło w prąd przekazywany dalej do mózgu, na tym – w wielkim uproszczeniu – polega mechanizm widzenia. A ja tych komórek mam po prostu znacznie mniej. Tam gdzie normalny człowiek ma w oku komórki siatkówki, ja mam dziury. Impuls świetlny, który powinien zostać zamieniony na ładunek elektryczny, trafia na puste przestrzenie i ginie gdzieś w dnie mojego oka.

Dlaczego?

Nie wiadomo. Lekarze podejrzewają, że ta choroba może mieć podłoże genetyczne, ale jej przyczyn szukają bezskutecznie od lat. Nie znaleziono też leku na nią. Wiadomo, że uszkodzenia powstają, bo komórki nie są odpowiednio odżywiane, dopływa do nich za mało krwi. Tak jest i nic z tym nie da się zrobić. Te zniszczenia, rzecz jasna, stopniowo się pogłębiają. Oswoiłem się z tą myślą, nauczyłem się z tym żyć, tak mi się przynajmniej wydaje.

Mówisz o tym bez emocji.

Gdy zaczynałem tracić wzrok, była masa sprzecznych emocji. Był płacz, były marzenia, była wiara w to, że to jest tylko chwilowe pogorszenie wzroku i jutro, pojutrze, za tydzień będzie lepiej. Był bunt, jakieś ucieczki, strach przed światem, całe morze emocji, przez które trzeba było przejść.

Jak to zrobić?

Człowiekowi w takim momencie pomaga nieświadomość. Ja nie miałem pojęcia, co będzie się działo, jakie głębiny, jakie rozpadliny są przede mną. Przez co będę musiał płynąć do brzegu, na którym będę się już czuł w miarę pewnie, na którym się po prostu odnajdę.

Co jesteś jeszcze w stanie zobaczyć?

Patrząc na ciebie, widzę światło.

Nikt mi jeszcze tego nie mówił. [śmiech]

[*śmiech*] Widzę światło lampy, która wisi za tobą. Ciebie nie widzę zupełnie. Gdyby to światło było słabsze, prawdopodobnie, patrząc ci w twarz, widziałbym cię tylko od pępka w dół. Może od kolan w dół. Jakiś fragment ciebie.

Kolory?

Widzę kolory! Kolory to jest zupełnie nieprawdopodobna historia w moim życiu, bo świat dla mnie jest kolorowy. Przy czym nierzadko to są inne kolory niż te, które widzą osoby o dobrym wzroku. Bardzo często ze znajomymi robimy sobie quizy, co jest w jakim kolorze. Sprawdzają, pół żartem, pół serio, co widzę. „Jaki ma kolor ta trawa?" Wiem, że trawa jest zielona, ale dla mnie ma ona często kolor pomarańczowy. Szczególnie ta nowa, świeża...

Pomarańczowy?

Tak. Wiosenna trawa ma kolor pomarańczowy. To jest nieprawdopodobne, ale niejednokrotnie mogę wskazać, która trawa jest świeża, a która rośnie już od kilku miesięcy. Bo ta stara jest już normalnie zielona. Zabawne? Dziwne? Pewnie tak, nie mam pojęcia, dlaczego tak się dzieje. Być może odbieram jakieś dodatkowe, niedostępne zwykłym śmiertelnikom impulsy...

A gdy jesteś w górach, które tak kochasz, co widzisz?

Widzę góry, ścieżki, kamienie. Oczywiście nie tak wyraźnie, ale stosunkowo dobrze widzę to, co jest pod nogami. Gorzej to, co jest na przykład na poziomie twarzy, klatki piersiowej. Natomiast widzę dużo światła, bardzo dużo przestrzeni, drzewa, mijających mnie ludzi, chociaż nie wiem, czy mnie mija kobieta, czy mężczyzna, dopóki ta osoba się do mnie nie odezwie. Nie wiem, w jakim jest wieku. Jeżeli idzie większa grupa, nie jestem w stanie powiedzieć, jak jest duża, jak długo będę tych ludzi mijał. To najbardziej niebezpieczny moment, bo nie potrafię ocenić, jak bardzo muszę zejść ze ścieżki. Włączam pełen respekt dla gór i idę krok po kroczku.

Ale wiesz, że kiedyś nie będziesz już mógł sam w te góry pojechać?

Na pewno ktoś mnie zaprowadzi.

Towarzyszką człowieka, który ma kłopot ze wzrokiem, staje się biała laska. Pomaga i stygmatyzuje.

Przyjąłem ten stygmat z całym dobrodziejstwem inwentarza. Do Polskiego Związku Niewidomych przybyłem w momencie, w którym nie miałem już najmniejszych wątpliwości, że chcę czerpać ze wszystkiego, co mi ułatwi życie. To może bardzo trudno zrozumieć, ale tyle nieprawdopodobnie fajnych komentarzy, tyle pomocy otrzymałem od ludzi, od czasu kiedy mnie spotykają na ulicy z białą laską. Wcześniej – fakt – bardzo często traktowali mnie z obcasa. Przeklinali mnie, kiedy na nich wpadałem, czegoś nie zauważałem, coś przewracałem. Teraz jest inaczej, a ja nie czuję się pod żadnym względem mniej męski, dlatego że muszę iść z białą laską. Nic a nic.

Ustaliliśmy jednak wcześniej, że człowiek, który traci jedno z podstawowych narzędzi komunikacji z otoczeniem, nie od razu mówi sobie: „Tak musiało być, pogodziłem się".

Jasne, to trwa latami. Poza tym trzeba by najpierw ustalić, czy ja w ogóle przestałem widzieć we własnym, osobistym odczuciu. Wciąż jeszcze sporo dostrzegam w porównaniu z osobami, które mają już medyczne zero, totalną ciemność. Pewnie takim węzłowym momentem był dla mnie rok 1997, kiedy to przeczytałem ostatnią w swoim życiu książkę czarnodrukową. Ile lat dochodziłem do pogodzenia się z faktem, że to była ta ostatnia? Nie wiem, nie potrafię ci na to pytanie odpowiedzieć.

Wypytuję tak, bo myślę, że utrata wzroku to jeden z najcięższych wyroków, jakie można w życiu usłyszeć. Ciemność mnie przeraża.

Wiem, że to może wywoływać strach, ale z tym naprawdę da się żyć. Poza tym – jak powiedział kiedyś ktoś mądry – człowiek dostaje taką niepełnosprawność, z jaką najłatwiej mu się pogodzić.

Podobno człowiek, który traci wzrok, „odrabia" to sobie w innych zmysłach.

Taki mechanizm działa. Uruchamia się w sposób całkowicie naturalny, ja teraz dużo uważniej słucham, dużo więcej pamiętam. Pamięć sobie zresztą nieźle wyćwiczyłem przez lata nieprzyznawania się do braku wzroku, do niewidzenia. Przez to przechodzi zresztą chyba każdy. Znane są tak zwane historie parasolowe, kiedy osoby, które już nie mogą chodzić samodzielnie i nie chcą wziąć do ręki białej laski, kupują sobie coraz dłuższy parasol. Sam historii parasolowej nie przeżyłem, natomiast do tego, że nie widzę, nie przyznawałem się przez całe lata.

Czego się bałeś?

Braku akceptacji. Braku zrozumienia. Gdy przestawałem widzieć, byłem jeszcze stosunkowo młodym dziennikarzem. Nie przyznawałem się szefom, bo bałem się stracić pracę, a wtedy nie czułem się jeszcze na tyle pewnie, żeby powiedzieć: „Nie widzę, ale spokojnie mogę być dobrym dziennikarzem, potrzebuję tylko drobnych udogodnień". Teraz umiem już to powiedzieć, teraz jest okej.

Podrążę jeszcze temat kompensacji. Czy gdy rozmawiasz z drugim człowiekiem, słyszysz więcej, nie tylko w sensie wypowiadanych słów, wyłapujesz coś z samej jego obecności? Jest jakiś siódmy, ósmy zmysł?

Wiem, że muszę więcej wyczytać z tembru głosu, podczas gdy ktoś, kto ma dobry wzrok, patrzy na mnie i wszystkie emocje może wyczytać z mojej twarzy. Ale siódmego czy ósmego zmysłu nie mam, muszę po prostu uważniej wczuwać się w ludzkie emocje.

Masz rodzinę?

Tak, mam żonę. Jesteśmy małżeństwem od czterech lat.

Zdążyłeś zobaczyć jej twarz?

Tak. Wiem, jak Karolina wygląda, do końca życia będę to wiedział, dla mnie będzie wiecznie młoda. Wiele kobiet może jej z pewnością zazdrościć. [*śmiech*] W tej chwili nie widzę już jej twarzy. Choć coś tam jednak dostrzegam. Kiedy jest się z jakąś osobą blisko, można sobie pozwolić na trochę inne jej oglądanie. Można patrzeć dłużej, bliżej, fragmentami. Karolina się na to godzi i ja ją tak czasem dokładnie, metodycznie obserwuję.

Zastanawiacie się, co będzie, kiedy może całkowicie stracisz wzrok?

Obydwoje wiemy, że to może nastąpić. Ale dopóki nie nastąpiło, nie ma po co o tym gadać. Od czasu do czasu zastanawiamy się, w jaki sposób urządzić to nasze życie, żeby było wygodniej, żeby żadne z nas, w tym ona, nie czuło się ubezwłasnowolnione.

Żeby nie pojawiła się relacja pacjent – pielęgniarka zamiast facet – kobieta?

Tak, zdecydowanie. Tego bardzo nie chcemy. Chcę być do końca samodzielny, samowystarczalny. To jest moje *credo*. Nie chcę, żeby się ktoś nade mną litował.

Chcielibyście mieć dzieci?

Tak.

Nie boisz się, że przekażesz im swoją chorobę? Istnieje podejrzenie, że jest genetyczna.

Rozmawiałem o tym kiedyś w kręgu osób, które chorują na to samo co ja, a tych osób nie jest wcale tak mało, zwyrodnienia tego typu są dziś jedną z głównych przyczyn utraty wzroku. Zastanawialiśmy się: starać się o dzieci czy nie? Czy to byłoby odpowiedzialne? A może to egoizm? Jedna z koleżanek zadała mi pytanie: „Robert, ale czy ty jesteś nieszczęśliwy? Czy czegoś ci brakuje?”. Powiedziałem, że nie, jestem szczęśliwy i chyba wszystko jest okej. Mam jakieś braki, ale przecież każdemu czegoś brakuje. „To dlaczego chcesz szansę na takie szczęście odebrać swojemu dziecku?” To mnie przekonało, nie lubię zastanawiać się zbyt długo.

Będziesz ojcem niestandardowym.

[*śmiech*] Każdy jest w jakiś sposób niestandardowym ojcem. Dziecko będzie musiało szybko nauczyć się na przykład odczytywać numery autobusów, będzie nam wtedy łatwiej podróżować razem. Dopóki się nie nauczy, będę pytał ludzi. Jak się nauczy, będzie mi mówiło. W moim środowisku są znajomi, którzy mają małe dzieci i one reagują w sposób zupełnie naturalny na to, że tato czy mama nie widzą, działają w sposób tak cudownie spontaniczny – to dla nich coś, co nie wymaga żadnego zastanowienia, po prostu tak jest. W tej prostocie jest jakieś niesamowite piękno.

Sprawiasz wrażenie człowieka znacznie szczęśliwszego i bardziej poukładanego niż wielu zdrowych. Czego ci brakuje?

Oglądania ludzkich twarzy, czytania książek, bez wątpienia. Jestem polonistą, książka to mój świat. Czy mogę w związku z tym wygłosić postulat w imieniu środowiska?

Proszę.

Strasznie trudno jest uzyskać od wydawnictw, od autorów pozwolenia na to, żeby zaadaptować książkę do potrzeb osób niewidomych i słabowidzących i żeby ukazała się ona w tym samym czasie co normalna książka. Od każdego wydawnictwa chętnie kupowałbym książkę za normalne pieniądze, gdyby miała wersję elektroniczną. Bo ja albo słucham audiobooków, albo książki zeskanowanej, którą może przeczytać mi komputer. Dzięki temu odzyskałbym dostęp do źródła, do całego bogactwa, które jest zaklęte w słowie. Tam jest tak cholernie dużo, to mi dawało tak strasznie dużo radości. I to mi zostało odebrane nie tylko przez chorobę, ale i przez wydawnictwa, które na produkcję takich książek nie chcą się godzić...

A co z marzeniami?

Mam jedno, ekstremalne marzenie: chciałbym pojechać na trekking i wspinaczkę w Himalaje.

Poczuć je?

Jakie tam – poczuć! Zdążyć je jeszcze zobaczyć! Gdyby tylko kiedyś było mnie na to stać – bardzo chciałbym tam pojechać. Góry to jest mój świat. Jeżeli zaś chodzi o moje widzenie, to – nie zaskoczę cię – chciałbym widzieć dobrze. Chyba każdy, kto nie widzi albo widzi słabo, chciałby widzieć dobrze. To oczywiste, że lepiej jest widzieć, niż nie widzieć. O ile jednak Himalaje są jakoś wciąż w przegródce z marzeniami, które może kiedyś, wielkim wysiłkiem uda się spełnić, o tyle w kwestii wzroku jest to takie spokojne oczekiwanie na cud. Cuda się zdarzają, nieprawdaż?

Modlisz się o ten cud?

Od czasu do czasu... Może? A może wspominam? Całe moje życie to takie trochę czekanie na ten cud, ale takie spokojne, radosne. Maksymalnie radosne.

To chyba nie może być prawda. Jeżeli czekasz na cud, to bardzo czegoś chcesz. A gdy tego nie dostajesz, musi pojawić się frustracja.

Tak wielu ludzi czeka na coś dużo bardziej im potrzebnego do życia. Ja się nauczyłem już żyć z niewidzeniem. Czekam więc spokojnie na swoją kolej na cud. Jeżeli zostanie mi on dany, będzie bosko. Jeżeli nie, będzie, jak jest, będzie dobrze.

Ale będziesz miał wtedy do kogoś pretensje?

Nie. Do kogo?

Do kogoś, kto ci tę szansę na wzrok zabrał. Dał ci pusty los. Nie z twojej winy.

Ale kto miałby to być?

Może Bóg?

Nie mam pretensji do nikogo. Bóg mi coś zabrał? Nigdy tak o tym nie myślałem.

Miewasz jeszcze momenty, gdy miałbyś ochotę Mu wykrzyczeć, że masz już wszystkiego dość?

Czasem. Przy najprostszych rzeczach tego świata. Kiedy znowu wsiadłem w zły autobus, a bardzo się spieszę, bo ktoś na mnie czeka. A na przystanku nie było ani jednej osoby, którą mógłbym zapytać o to, jaki autobus podjeżdża.

Ludzie na przystankach często boją się niezręczności, bo może odbierzesz to jako gest litości i zamiast pomocy będzie upokorzenie?

Sam się bałem podchodzić do ludzi, którzy byli na wózku albo stali z białą laską. Wiem o tym, dokładnie to pamiętam, doskonale cię rozumiem. Tutaj inicjatywa jest po mojej stronie. Trzeba się nauczyć prosić o pomoc. To jest strasznie trudne. Trzeba się przełamać, podejść i zapytać: „Przepraszam, jaki to autobus?", „Czy może pan mi pomóc? Przepraszam, nie widzę". Ja cały czas się tego uczę. Od czasu do czasu decyduję się podjąć ryzyko, nie pytam i później okazuje się, że znów wsiadłem nie do tego autobusu, bo nie stać mnie było na to, żeby poprosić kogoś o pomoc. To bardzo dotyka – przyznanie, że nie jesteś już samowystarczalny, to nie jest wcale takie superbardzołatwe.

Co będzie, kiedy wreszcie ten cud się zdarzy?

[*śmiech*] Mam nadzieję, że będę umiał jakoś z tym żyć. Że... Boże, że będę umiał być normalnym facetem.

A nie jesteś normalnym facetem?

Mam nadzieję, że jestem. I mam nadzieję, że będę.

Jesteś.

Okej, dzięki. Naprawdę. Nie wiem.

20 stycznia 2010 roku

JA PO TYCH AUTOSTRADACH JEŹDZIŁ JUŻ NIE BĘDĘ

[ks. Adam Boniecki]

Nazywam się Adam Boniecki. Blisko sześćdziesiąt lat jestem zakonnikiem, pięćdziesiąt lat księdzem, ponad czterdzieści lat jestem w redakcji „Tygodnika Powszechnego". Ludzi, w których życie wtargnęła śmierć, spotykam często, niemal codziennie. I wiem, jak dalece Pan Bóg ręcznie kieruje wszystkimi wydarzeniami. Nawet Pan Jezus zapłakał, jak zobaczył, że jego przyjaciel umarł. Więc ten płacz jest uzasadniony. Nie szukaj nieba gdzieś w zaświatach, niebo jest wśród nas.

Coś się w tej opowieści nie zgadza. Jezus zapłakał nad śmiercią przyjaciela, ale przecież mógł sprawić, żeby on nie umarł. Kocha, jest wszechmocny – powinien zrobić wszystko, by człowiek nie cierpiał. Nie robi.

A może są pytania, których się Bogu nie zadaje? Nie dlatego, że się obrazi, ale dlatego, że On ma po prostu zupełnie inną perspektywę. Działalność Chrystusa pokazuje, że nie jest Bożym pomysłem, by człowiek żył fizycznie na ziemi bez końca, śmiertelność człowieka jest widocznie w planie Boga. Zaś jedyną Jego odpowiedzią na nasze związane z tym pytania jest zmartwychwstanie. Taka jest treść wiary. Nie śmierć ma ostatnie słowo, ale życie. A może ostatnim słowem jest wniebowstąpienie, na którym nasza wyobraźnia kompletnie się kończy? Jezus zjawiał się, znikał. A potem zniknął na dobre, mówiąc jednak: „Jestem z wami aż do końca świata". W najważniejszych sprawach między człowiekiem a Bogiem zawsze coś nie będzie się nam zgadzać, naprawdę jesteśmy od Niego różni.

Nie mamy prawa oczekiwać od Niego działania? Dziecko robi, co może – modli się o zdrowie i nie dostaje zdrowia, umiera. Jak kochać Boga, gdy umiera najbliższa osoba?

Gdyby był człowiekiem, powinno się Go znienawidzić. Ale On jest Bogiem. Cudem są dla mnie ludzie, których ufność nie zostaje wtedy zburzona. To jest dla mnie silniejsze niż słowa. Nie poradziłbym sobie z tymi pytaniami, gdyby nie oni. Poznałem kiedyś małżeństwo, którego dziecko urodziło się z bardzo poważnymi wadami. Tego maleństwa nie można było operować, trzeba było czekać z interwencjami, aż urośnie. Pokochałem to dziecko, całą tę rodzinę, starałem się pomóc – to nieszczęście odcięło ich od ludzi, byli tylko oni, dziecko i śmierć krążąca gdzieś wokoło. Więź po prostu niewyobrażalna. Po roku – nadzieja. Dziecko było operowane przez wielkiego specjalistę z zagranicy. Umarło. Nie natychmiast... Ból tych ludzi był taki, że nie mieli słów, ja też nie miałem żadnych słów pociechy. Po pewnym czasie mama dziecka napisała mi: „Odkryłam, że muszę być wdzięczna Bogu za ten czas, w którym nasze dziecko było z nami. Przecież mogło umrzeć znacznie wcześniej". Nie odwrócili śmierci, zmienili sposób patrzenia. To zupełnie ich przemieniło, stali się innymi ludźmi. Sam chyba nigdy bym komuś takich pociech nie fundował. To może powiedzieć tylko ktoś, kto przeszedł taką mękę. W moich ustach brzmiałoby to jak uzurpacja, jak banał. A ci ludzie realnie sprawili, że w koszmarnie ciemnej nocy rozbłysło światło wdzięczności.

Nie miał ksiądz żadnych odpowiedzi płynących z faktu, że jest ksiądz księdzem. To świeccy pokazali księdzu, że w cierpieniu może być sens. A może?

Dziękuję, że pan to nazwał po imieniu, bo to prawda. Na tym polega siła wspólnoty wierzących ludzi, że się wzajemnie wspieramy. W seminarium nauczyłem się tych wszystkich teorii. W podręcznikach są odpowiedzi na wszystkie pytania. One są do niczego. Gdy przyjdzie co do czego, nie da się ich wypowiedzieć, obrażają cierpiącego człowieka. Odpowiedź można dostać tylko od człowieka, który przez ten ogień przeszedł. A czy cierpienie ma sens? Czasem kogoś obudzi, zmieni, ale są też sytuacje po prostu absurdalne, gdy nie widać sensu, gdy chce się tylko krzyczeć. Nie wiem, jak jest. Pan Bóg wie, bo On patrzy z perspektywy wieczności. My patrzymy inaczej. Znamy tylko ziemskie życie, wszystko przeżywamy w jego kategoriach, dlatego śmierć to dla nas tragedia. Ksiądz Twardowski pisał, że nawet biskup jedzie do Lourdes, żeby się wykąpać, żeby się nie rozchorować, żeby być uzdrowionym. Tacy jesteśmy: jest niebo, dobrze, ale później, tutaj – żeby mnie tylko ta wątroba nie bolała albo żebym tego raka nie dostał. Zauważyć, że Bóg na każdą chwilę naszego życia patrzy w szerszej perspektywie. Na tym polega wiara.

Boi się ksiądz śmierci?

Stosunek do własnej śmierci się zmienia. Gdy ma się czterdzieści lat, śmierć to czysta teoria. Coś, co zdarza się innym. Kiedy człowiek spostrzega, że jest na tym świecie dłużej niż jego ojciec, niż jego dziadek, paniczny, zwierzęcy lęk przed śmiercią młodego człowieka przestaje być tak biologiczny. Choć to nie znaczy, że dziś beztrosko mówię: „Z zachwytem pójdę do nieba, zjednoczę się z Panem Bogiem, nie mogę się tego doczekać” – taka łaska nie jest mi dana. Nie panikuję, nie walczę za wszelką cenę, nie biegam do lekarza z każdą drobną dolegliwością, próbując ten pociąg jakoś choć na chwilę przytrzymać. Jasne, że trochę się jej boję. Próbuję się jednak oswajać, zaprzyjaźnić z myślą, że to może już w tym roku, może w przyszłym, może za dwa lata...

Raczej za pięć niż za pięćdziesiąt.

Na pewno bliżej niż dalej. Przypominają mi o tym telewizyjne serwisy, gorączkowe spory o polskie autostrady. Ja po nich nie będę jeździł, na pewno.

Gdy chcę przypomnieć sobie, że mnie też to dotyczy, myślę o roku 2080.

Tak, tylko że to jest tak daleko... Mnie ktoś mówi: „W 2015...”, a ja uśmiecham się w duchu: „Nie dotyczy...”.

Psalm mówi: „Miarą naszego życia jest lat siedemdziesiąt, osiemdziesiąt, gdy jesteśmy mocni". Człowiek w tym wieku czuje chyba, że jego miara zbliża się do końca. Nażył się. Znajomi odchodzą. Własne odejście staje się czymś naturalnym.

Bardzo wyraźnie to u siebie dostrzegam. Jak człowiek jest młody, ma wrażenie, że ciągle wokół rodzą się jakieś dzieci, pyta sam siebie: „Co tych dzieci tyle się rodzi?!". Ale od pewnego momentu ta lamentacja zmienia się w inną: „Dlaczego tylu ich umiera?". Nagle się robi pusto. Zauważyłem u takich bardzo starych ludzi, wspaniałych zresztą, którzy się dobrze trzymali, taki błysk satysfakcji, jak ktoś młodszy umarł... A ja wciąż żyję! [*śmiech*] Ta świadomość dobiegania do mety przekłada się też, rzecz jasna, na rosnącą umiejętność nieprzejmowania się błahymi sprawami. Starość daje dystans. Nie chodzi o to, żeśmy to już przerabiali, bo jednak wszystkie wydarzenia i nasze wybory są zawsze nowe, nawet jeżeli podobne do poprzednich, ale takie poczucie, czym naprawdę trzeba się przejmować i na co wściekać, a co trzeba sobie odpuścić, bo i tak przeminie. Ten spokój – to osłoda, jaką Bóg daje ludziom, którzy się już trochę tu namęczyli; to jest w starości bezcenne.

A jeśli ktoś nie doczeka chwili, w której byłoby mu dane sprawiedliwie, spokojnie, w pełni swych lat zgasnąć – jak o tym myśleć, co mówić tym, którzy tutaj zostają?

Nic nie mówić, być. Wtedy człowiek bardzo potrzebuje kogoś, kto chce słuchać. Trzeba być. Karol Wojtyła zapraszał takich ludzi do siebie – pamiętam mszę, którą odprawił u siebie w kaplicy za pewnego zmarłego młodego człowieka. Ci, co zostają, często nie mogą się modlić. Trzeba mówić: „Ja się będę modlił, za was i za niego". To jest okropne, zwłaszcza jak to jest ktoś, kogo się znało od dziecka. Długie lata byłem duszpasterzem akademickim. Dziś odprowadzam na wieczny spoczynek te dzieciaki, moich wychowanków. To jest bardzo trudne, bardzo nie w porządku. Są oczywiście wyjątkowe przypadki, kiedy ma się okazję widzieć niebywałą dojrzałość do śmierci u młodego umierającego człowieka. Nigdy nie zapomnę Marka, młodego ojca rodziny, człowieka sukcesu, inżyniera – świetny facet, fantastyczna żona, dziecko, mieszkali zgodnie z jego matką. Niszczył go rak wątroby, na szczęście w takiej formie, która nie była skrajnie bolesna. Chodziłem do niego stale, codziennie widziałem, jak coś tego człowieka przemienia. Rodzina udawała przed nim, że nie jest tak bardzo chory, on udawał przed nimi, że nie wie, że jest tak bardzo chory. A ja byłem w środku. Przed śmiercią zawołał matkę, żonę i powiedział: „Słuchajcie, wszyscy się tam spotkamy, wszyscy tam idziemy, nie histeryzujcie, nie tragizujcie, odchodzę spokojnie". To nie to, że on nie chciał żyć. Miał momenty: „A może to się jeszcze da zatrzymać?", ale jednocześnie akceptował to, co w życiu każdego z nas jest nieuchronne, dziś czy za pięćdziesiąt lat.

Zastanawiałem się nieraz, czy łatwiej umiera się temu, kto nie ma wiary i nadziei na nic, czy temu, kto wierzy i modli się, żeby to nie stało się teraz... Ksiądz dobrze wie, co to znaczy nie spełniona modlitwa. Gdy był ksiądz dzieckiem, aresztowano ojca księdza, i całą rodziną modliliście się o jego ocalenie.

Dziewięć razy dziennie przez dziewięć dni...

Ojciec został rozstrzelany.

Właściwie na końcu tej nowenny... Aresztowali go 5 stycznia, zabili 13 stycznia. Byłem dzieckiem. Nie przeżyłem wtedy buntu wobec Pana Boga. Nie wiem, dlaczego tak tego nie przeżyłem.

Po takiej nowennie Bóg dla wielu umarłby na zawsze.

Różnie bywa. Powtórzę: śmierć jest jednak wpisana w kondycję ludzką. Po pierwszym szoku, bólu, cierpieniu zostaje blizna. Przez całe życie nam brakuje ludzi, którzy umarli, to nie jest tak, że czas leczy rany. Coś leczy, ale pewna wyrwa zostaje, z którą jednak można żyć dalej. Budować i wpisać to w swoją wizję świata. Ludzie, którzy po śmierci kogoś właściwie przestali żyć, to jest tylko pewna kategoria, grupa. Są tacy, takie małżeństwa... Umiera jedno i wkrótce potem umiera drugie. Po prostu już nie chce żyć. Samoobrona organizmu ustaje.

Kiedy myślę o własnej śmierci, najbardziej przeraża mnie w niej, że to jest totalna utrata kontroli nad swoim istnieniem, nad swoim byciem. Człowiek leży, stoi, siedzi, spada i robią z nim coś, na co on nie ma kompletnie żadnego wpływu. Wierzę, że po śmierci będzie inaczej, ale ten moment zawieszenia mojego człowieczeństwa, mojej wolnej woli – aż mi ciarki przechodzą po krzyżu na myśl o tym jednym momencie.

Chyba na całym moim myśleniu o śmierci, na całym życiu ogromne piętno odcisnęła śmierć ojca. Wizja tego faktu, tego wydarzenia, tego zniewolenia prześladowała mnie jako dziecko. Po prostu mi się śniło co noc, że jestem rozstrzeliwany. To jest straszliwe. Jeszcze zadane siłą. To jest coś tak strasznego, że nie mogę pojąć, jak można bronić kary śmierci. To jest próba, może w tym momencie człowiek to inaczej odczuwa. Raz byłem w takiej sytuacji, że właściwie mogłem już nic więcej nie poczuć... Kiedy się topiłem w jeziorze, w zimie, w kożuchu, w butach narciarskich.

To się ksiądz wybrał...

Wybrałem się na kajak z zapalonym kajakarzem i kajak się przewrócił. Była duża fala, lodowata woda. Poszedłem na dno. On mnie wyłowił, wrócił po mnie, bo sam się uratował. Prawdę mówiąc, to nie było żadne doświadczenie śmierci. Tracąc przytomność, pomyślałem sobie: „Aha, to tak się umiera". Żadne całe moje życie mi się nie przypomniało, nic kompletnie. Nie było to ani straszne, ani paniczne.

Tuneli żadnych nie było.

Nic. Więc to nie jest żadne doświadczenie. Trudno sobie wyobrazić ten moment, bo jak mówi filozof starożytny: „Jak my jesteśmy, to jej nie ma; jak ona jest, to już nas nie ma". Ale jest to, myślę, rzeczywistość, z którą trzeba się zaprzyjaźniać.

Jak zaprzyjaźnić się z taką przemocą? Z takim gwałtem? Z czymś, co jest tak przeciwne nam? Naszej chęci życia? Można zaprzyjaźnić się z wizją nieba, ale z wizją śmierci chyba nigdy.

Ja próbuję.

18 maja 2010 roku

SPIS TREŚCI

Szymon Hołownia

LUDZIE
NA WALIZKACH

Ludzie na walizkach to zbiór rozmów Szymona Hołowni z osobami, które choroba, nieszczęśliwy wypadek albo los doprowadziły na granicę życia i śmierci. Czy stamtąd widać więcej? Jaki sens ma cierpienie? Jak nie poddać się zwątpieniu? Co o życiu mogą nam powiedzieć ci, którzy na własnej skórze przekonali się, jak bardzo jest ono kruche?

Wśród bohaterów książki znaleźli się nie tylko pacjenci i ludzie chorzy, ale również ich najbliżsi oraz lekarze zmagający się na co dzień w życiu zawodowym z ludzkim bólem. O dramatycznych wyborach, z jakimi przyszło im się zmierzyć, opowiadają jednak bez ckliwości, za to z ogromnym dystansem i mądrością.

Społeczny Instytut Wydawniczy Znak,
ul. Kościuszki 37, 30-105 Kraków. Wydanie I, 2011.
Druk: Drukarnia Colonel, ul. Dąbrowskiego 16, Kraków.